Le secret oublié

Révision : Denise Pelletier, Nancy Coulombe
Traduction : Danielle Champagne
Typographie et mise en page : François Doucet
Graphisme de la page couverture : Carl Lemyre
ISBN 2-89565-043-8
Première impression : 2002
Dépôt légal : quatrième trimestre 2002
Bibliothèque Nationale du Québec
Bibliothèque Nationale du Canada

Éditions AdA Inc.
172, des Censitaires
Varennes, Québec, Canada, J3X 2C5
Téléphone: 450-929-0296
Télécopieur: 450-929-0220
www.ADA-INC.com
INFO@ADA-INC.COM

Diffusion
Canada : Éditions AdA Inc.
Téléphone: 450-929-0296
Télécopieur: 450-929-0220
www.ADA-INC.com
INFO@ADA-INC.COM
France : D.G. Diffusion
Rue Max Planck, B.P. 734
31683 Labege Cedex
Tél : 05-61-00-09-99
Belgique : Vander- 32.27.61.12.12
Suisse : Transat- 23.42.77.40

Imprimé au Canada
Participation de la SODEC et de PADIÉ.
Gouvernement du Québec - Programme de crédit d'impôt pour l'édition de livres - Gestion SODEC.

Données de catalogage avant publication (Canada)

Ford, Debbie

Le secret oublié
Traduction de : The secret of the shadow.

ISBN 2-89565-043-8

1. Actualisation de soi. I. Titre.

BF637.S4F6514 2002   158'.1   C2002-941635-3

Le secret oublié

Assumez pleinement votre histoire personnelle

Debbie Ford

Adapté de l'américain par
Danielle Champagne

À mon cher second père, Howard J. Fuerst, m.d.
Quel cadeau merveilleux ai-je reçu lorsque tu es arrivé
dans ma vie. Merci pour toute l'attention,
tout l'amour et la grâce que tu as apportés à ma famille,
au monde et à moi-même.
Tu nous manques profondément.

Table des matières

Le secret oublié

Chapitre 1

VOUS ET VOTRE HISTOIRE

Imaginez qu'à votre naissance vous aviez déjà conscience d'être un maître, de détenir un immense pouvoir, de posséder de grands dons et que seul votre désir suffisait pour que ceux-ci se mettent en action dans le monde. Imaginez que vous êtes venu au monde le cœur rempli du pouvoir de guérison de l'amour et que votre seul désir est de prodiguer cet amour à votre entourage. Imaginez que vous avez la capacité innée de créer et d'obtenir tout ce que vous désirez et tout ce dont vous avez besoin. Avez-vous, à un certain point de votre vie, pris conscience que vous étiez unique en ce monde ? Dans chaque fibre de votre être, avez-vous senti que non seulement vous possédiez la lumière du monde, mais que vous étiez aussi cette lumière ? À un certain moment, avez-vous su qui vous étiez au niveau le plus profond et vous êtes-vous réjoui de vos dons ? Arrêtez-vous un instant et tentez de vous rappeler le moment où vous avez découvert qui vous étiez vraiment.

Puis, quelque chose s'est produit. Votre monde a basculé. Quelque chose ou quelqu'un a jeté une ombre sur votre lumière. À partir de ce moment, vous avez commencé à craindre pour vous-même et vos précieux dons dans ce monde. Vous avez cru que si vous ne dissimuliez pas votre don sacré, il pourrait être abîmé ou vous être retiré. Au plus profond de vous, vous saviez que ce don était comme un enfant fragile et innocent que vous deviez protéger. Vous avez donc agi comme tout bon parent et avez enseveli votre magnificence profondément en vous de façon que personne ne la découvre jamais, ne puisse la heurter ou vous l'enlever. Avec la créativité d'un enfant, vous l'avez dissimulée. Vous avez inventé une histoire, un personnage, une fiction pour que jamais personne ne suspecte que vous êtes le détenteur d'autant de lumière. Vous avez été très intelligent — rusé, en fait — pour cacher votre secret. Non seulement avez-vous convaincu les autres, mais vous vous êtes convaincu vous-même. Et tout cela parce que vous vous comportiez en bon parent envers votre don. C'était votre secret — le profond secret que vous étiez le seul à connaître. Vous avez même été suffisamment créatif pour afficher le contraire exact de ce que vous étiez vraiment afin de vous protéger contre ceux que vos dons innés auraient pu choquer ou contrarier.

Après des jours, des mois et des années passés à dissimuler votre cher trésor, vous avez commencé à croire votre histoire. Vous êtes devenu le personnage que vous aviez inventé pour protéger votre secret. À ce stade, vous avez même oublié que vous aviez enseveli votre don précieux. Non seulement avez-vous oublié l'endroit où il se trouvait, mais vous ne vous souveniez plus que vous l'aviez caché. Votre lumière, votre amour, votre grandeur et votre beauté ont été perdus dans votre histoire. Vous avez oublié que vous aviez un secret.

À partir de cet instant, vous vous êtes senti perdu, seul, isolé et apeuré. Soudain, vous avez pris conscience qu'il vous manquait quelque chose. Et vous aviez raison. Vous ressentiez la douleur d'être séparé de votre trésor, comme si vous aviez perdu votre meilleur ami. L'absence de votre véritable personnalité vous faisait souffrir. Vous avez donc entrepris de trouver à l'extérieur de vous-même quelque chose qui comblerait le vide et vous ferait sentir mieux. Vous vous êtes tourné vers des relations, d'autres personnes, vos réalisations et vos réussites, tentant de trouver ce qui vous manquait. Vous avez considéré votre corps, votre compte en banque pour tenter de retrouver la plénitude. Peut-être que, tout comme moi, des sentiments d'indignité vous ont assailli si fortement que vous avez passé presque tout votre temps à rechercher frénétiquement quelque chose qui vous compléterait. Mais en vain.

À l'époque de mes cinq ans, je connaissais très bien cette voix intérieure qui me disait que je n'étais pas assez bonne, que je n'étais pas désirée et que je n'avais pas ma place. Voulant désespérément être aimée et acceptée, je me suis mise à la tâche épuisante consistant à me faire valoriser par les autres. Je croyais fermement que quelque chose n'allait pas chez moi et j'ai tout fait pour dissimuler mes défauts. J'ai vite appris comment charmer les gens, leur souriant à pleines dents pour qu'ils me remarquent. Je croyais que si j'étais plus talentueuse que ma sœur aînée ou plus intelligente que mon grand frère, je serais acceptée et ma famille m'offrirait tout l'amour dont j'avais grand besoin. Je croyais que s'ils m'aimaient assez, je n'aurais plus besoin d'écouter les terribles pensées qui emplissaient mon esprit ni d'endurer les sentiments douloureux qui grugeaient mon petit corps.

À mesure que les années ont passé, je suis devenue très habile à trouver des façons de camoufler ma douleur, tant aux autres qu'à moi-même. Lorsqu'il n'y avait personne pour me valoriser ou me confirmer que j'étais correcte, je traversais la rue pour aller m'acheter un paquet de carrés au chocolat et une bouteille de Coca-Cola. Cette dose de sucre semblait vraiment fonctionner. Mais à vingt ans, ma douleur était devenue trop grosse pour être enfouie. Je me sentais trop grande, maladroite et stupide. J'enviais les filles qui semblaient faire partie d'un groupe, porter les vêtements qu'il fallait et vivre dans des familles normales. Pendant des années, j'ai pleuré tous les jours, tentant de libérer la douleur intérieure qui me consommait. Mes larmes de tristesse portaient toujours le même message : « Pourquoi personne ne m'aime ? Qu'est-ce qui ne va pas chez moi ? Quelqu'un peut-il m'*aider* ? »

Puis, pour empirer la situation, quand j'avais douze ans, un samedi après-midi, ma mère nous a informés, mon frère et moi, que mon père avait quitté la maison pendant que nous étions à la plage. Leur mariage était terminé; ils allaient divorcer. La séparation de ma famille est venue amplifier ma peur bien ancrée d'être imparfaite et anormale et d'avoir reçu un mauvais destin dans la vie. Le divorce de mes parents a laissé libre cours à toute la douleur emmagasinée en moi. En un clin d'œil, tous les mauvais sentiments que je croyais avoir maîtrisés ont resurgi. Ma douleur était si intense que pour la calmer, je me suis tournée vers les drogues, la cigarette et les amitiés superficielles pour essayer de trouver enfin l'acceptation, l'amour et la sécurité que j'étais incapable de puiser dans ma famille ou en moi.

M'efforçant de donner un sens au vide que je ressentais, j'ai décidé que le succès constituait mon ultime laissez-passer pour la liberté. À treize ans, j'ai commencé à travailler et dès l'âge de dix-neuf ans, j'étais propriétaire de mon premier magasin. J'avais du flair dans le domaine de la mode et j'aimais créer de nouvelles toilettes pour les femmes. Je me sentais toujours mieux lorsque je portais des vêtements à la mode. J'avais l'impression que je pouvais ainsi camoufler ma honte, n'était-ce que pendant une journée, en me présentant avec quelque chose que tout le monde aimait. Je faisais tout pour obtenir les tenues les plus en vogue, les plus cool, les plus originales afin de me sentir acceptée. Et selon toute vraisemblance, je réussissais : je possédais la bonne voiture, les bons vêtements et ce qui m'apparaissait comme le bon cercle d'amis. Je faisais finalement partie des gens bien en vue. Mais malgré tous mes succès et tous mes amis, je me sentais encore perdue et terriblement seule. Quels qu'étaient mes accomplissements dans le monde extérieur, je ne parvenais jamais à faire taire la voix intérieure qui me disait que je ne valais rien et que ma vie ne signifiait pas grand-chose. Dans le calme de la nuit, le désespoir m'envahissait. Je me sentais imparfaite, petite, insignifiante et douloureusement seule.

Gérer mon aliénation me prenait tout mon temps. J'ai entrepris de tenter de calmer le bruit interne incessant en me noyant dans les drogues. J'étais hypnotisée par mon dialogue intérieur continuel, par l'histoire que je me racontais, selon laquelle je ne réussirais jamais, je n'obtiendrais jamais l'amour, la sécurité et la paix que je désirais tant. Cette voix remplissait mon esprit jour et nuit, critiquant toutes mes actions et sabotant ma recherche de bonheur et de succès. Je croyais qu'en me tenant suffisamment occupée, en mangeant assez de carrés au chocolat, en ingurgitant assez de produits chimiques ou en accumulant assez de voitures et de vêtements, je pourrais m'élever au-dessus du désespoir qui semblait toujours surgir après un moment de joie. Mais cela ne fonctionnait pas. L'enregistrement dans mon esprit ne jouait que plus fort, me désignant mes fautes et renforçant les limites que je m'imposais moi-même. La voix me réprimandait continuellement, me disait que je ne méritais pas l'amour et que je resterais seule. Finalement, épuisée, je m'abandonnais à mon tyran intérieur en lui affirmant : « D'accord, tu gagnes ». Je me trouvais ensuite un sac de M&M's, une cigarette ou un calmant pour apaiser temporairement mon angoisse. Mais en peu de temps réapparaissaient le dégoût de moi-même et l'histoire qui me disait à quel point j'étais affreuse.

Au début de la vingtaine, j'ai ajouté les hommes à ma panoplie de remèdes pour soulager ma douleur. Malheureusement, mes relations semblaient toujours se retourner contre moi. Elles débutaient sur la joyeuse note prometteuse d'un sauvetage et se terminaient par un désastre qui m'enfonçait encore davantage. Entre-temps, ma consommation de drogues augmentait, à un point tel que j'ai cru que je ne ferais pas long feu si je continuais sur cette voie. J'ai passé des années à aller et à retourner dans des centres de désintoxication pour tenter de me remettre sur pied. Un jour, dans le quatrième centre, je participais une fois de plus à une séance de thérapie de groupe et j'ai fait une énorme prise de conscience. Assise à écouter chacun et chacune partager sa douleur, leurs paroles m'ont soudainement fascinée. Comme les autres membres de mon groupe confiaient leurs épreuves, leurs échecs et leurs déceptions, j'ai perçu un thème commun — un scénario — dans leurs mots. J'étais étonnée de constater à quel point chaque personne était engagée dans sa douloureuse tragédie personnelle et à quel point chacune était convaincue que son histoire était vraie — la seule et unique vérité. J'ai vu les gens de mon groupe sacrifier l'amour afin de rendre hommage et de rester fidèle à l'histoire négative qu'ils racontaient à propos de leur vie. J'en ai vu d'autres s'agripper, comme si c'était une question de vie ou de mort, à leur saga malheureuse, tentant de nous persuader du malheur et de la réalité de leur histoire. Certains étaient fiers de leur histoire, comme si leurs luttes et leurs sacrifices les avaient rendus en quelque sorte supérieurs à nous tous. D'autres avaient la certitude que leur grande douleur les rendait vertueux d'emblée. Soudain, j'étais en mesure de discerner quelque chose dans la saga de tout un chacun : *leurs histoires n'étaient que cela — des histoires, des récits fictifs qui, à force d'être répétés, masquaient une vérité beaucoup plus profonde.*

Je me souviens clairement d'une séance de groupe en particulier. Jessica était une jolie blonde de vingt-huit ans dont le visage reflétait l'amertume et l'échec. Ce jour-là, elle ouvrit la séance en récitant dramatiquement la même histoire qu'elle racontait depuis huit ou neuf semaines. Elle disait à peu près ceci : « Ma mère ne m'aime pas, mon père m'a délaissée quand j'avais trois ans, mon petit ami ne sait pas qui je suis… » J'étais assise là, tellement frustrée que j'avais envie de m'arracher les cheveux. J'étais incapable d'entendre cette histoire une fois de plus. Cela ressemblait à un disque brisé qui rejoue continuellement le même morceau ennuyeux. Je me disais qu'elle pouvait au moins s'efforcer de nous jouer une nouvelle pièce. J'avais envie de me lever et de crier : « Abandonne ton histoire ! Ne comprends-tu pas ? Ne vois-tu pas que tu te racontes une histoire qui se terminera toujours de la même façon ? » Je désirais tellement que Jessica se rende compte qu'elle s'enfermait elle-même dans son histoire sans issue. Bien sûr, je sais maintenant que j'étais empêchée d'agir par les limites de ma *propre histoire* qui me disait : « Tu ne connais rien. Tu ne sais pas de quoi tu parles. Reste à ta place et ne dis rien. » Obéissant à cette voix, je me suis recalée dans mon fauteuil et je me suis enfoncée encore plus profondément dans mon histoire personnelle. Mon silence constituait la preuve que mon histoire avait un pouvoir total sur moi.

Puisque j'étais incapable d'écouter Jessica se plaindre, je me suis coupée d'elle pour concentrer toute mon attention sur moi-même. Comme sa voix s'estompait, j'ai commencé à capter mon propre discours intérieur : « Personne ne m'aime. Je ne réussirai jamais. Je ne serai jamais heureuse. Je suis trop maigre et trop laide. Ma vie n'a aucune valeur. Personne ne se soucie de moi. » J'ai été frappée de constater que, comme Jessica, moi aussi je répétais intérieurement le même discours, récitant une version de ma vie que j'avais déjà entendue un million de fois. J'étais choquée de découvrir que mon scénario ne différait pas tellement de celui de Jessica ; seulement, elle, l'énonçait à voix haute. En m'écoutant, j'ai perçu le thème de mon histoire, récité comme un mantra dans mon esprit : « pauvre de moi, pauvre de moi, pauvre de moi ». Puis, soudain la lumière s'est allumée et je me suis rendu compte que ma vie aussi n'était qu'une histoire.

Jusqu'à ce jour au centre de traitement de West Palm Beach, en Floride, j'avais vécu endormie dans mon histoire. Je la laissais diriger ma vie à mon insu. Elle déterminait et limitait toutes mes actions qui, en fait, étaient des tentatives désespérées pour rendre cette prison un peu plus tolérable, un peu plus vivable. J'effectuais constamment des ajustements mineurs — un nouvel amoureux, un nouveau travail, une nouvelle coiffure — en vue d'enterrer ma douleur et de cacher la « preuve » de mon manque d'adaptation. Je croyais si fort que mon histoire était la réalité que de faire tous ces ajustements, c'était comme de réorganiser les chaises sur le pont du *Titanic* : le bateau coulait tandis que moi, incapable d'admettre la réalité de la situation, je m'affairais à essayer de rendre ma vie agréable et de me sentir mieux.

Finalement, j'ai réalisé que l'histoire que je me racontais ne tenait sans doute pas compte de toute ma personne. Tout comme je pouvais voir que Jessica, même prise dans son histoire, était bien plus que ce qu'elle croyait être, je me suis aperçu que moi aussi j'étais davantage que ce que mes pensées négatives me renvoyaient. À cet instant, je me suis rendue à l'évidence que même si pendant des années j'avais tenté — sans vraiment m'en rendre compte — d'arranger mon histoire, c'était impossible. Bien sûr, elle constituait une partie de moi, mais elle ne résumait certainement pas toute ma personne. Même si je n'avais aucune idée de ce qui se trouvait au-delà de mon histoire, ce même jour j'ai entrepris un cheminement pour comprendre pourquoi j'avais inventé cette histoire et à quoi elle servait.

J'ai passé les dix années suivantes à examiner non seulement ma propre histoire, mais celles des autres. Au cours de ce cheminement, j'ai appris trois choses très importantes. D'abord, nous créons l'histoire de notre vie afin de devenir quelque chose ou quelqu'un. Deuxièmement, notre histoire détient la clé de notre but unique dans la vie et de son accomplissement. Et finalement, oublié dans l'ombre de notre histoire se trouve un secret bien spécial ; lorsque nous le découvrons, nous ressentons une immense admiration devant la magnificence de notre humanité.

L'HISTOIRE, LE THÈME ET L'OMBRE

Notre histoire a un but. Même si elle fixe nos limites, elle nous aide aussi à nous définir de sorte que nous ne nous sentions pas perdus en ce monde. Vivre dans cette histoire, c'est comme se retrouver à l'intérieur d'une capsule transparente. Les minces murs translucides sont comme une coquille qui nous garde prisonniers à l'intérieur. Même si nous sommes en mesure de voir le monde à l'extérieur, nous demeurons en dedans, à l'abri, à l'aise sur ce terrain familier, retenus par cette voix intérieure qui nous rappelle que quoi que nous fassions, pensions ou disions, nous ne pouvons aller plus loin. Notre histoire nous isole et trace des frontières nettes entre nous-mêmes, les autres et le monde. Elle limite nos habiletés et nos possibilités. Elle nous tient à l'écart même lorsque nous ne demandons qu'à nous adapter et à nous intégrer. Elle draine nos énergies vitales, nous laisse une sensation de fatigue, de faiblesse et de désespoir. La prévisibilité de notre histoire nourrit notre résignation et scelle notre destin. Lorsque nous vivons dans notre histoire, nous nous engageons dans des habitudes répétitives, des comportements destructeurs et des discours intérieurs abrasifs.

Comme toutes bonnes histoires, notre récit personnel a toujours un thème qui se répète au fil de notre vie. Nous pouvons décoder nos thèmes particuliers en écoutant attentivement les conclusions que nous avons tirées des événements de notre vie. Ces conclusions modèlent notre existence et dirigent notre personnalité. Elles deviennent nos *croyances sous-jacentes*, celles qui, dans l'ombre, contrôlent nos pensées, nos paroles et nos comportements. Nos croyances sous-jacentes établissent nos limites. Elles nous dictent combien d'amour, de bonheur et de succès nous méritons ou non. Elles façonnent notre processus de pensée et définissent nos limites personnelles. En se faisant passer pour la vérité, nos croyances sous-jacentes nous empêchent de nous exprimer et font taire nos rêves. Toutefois, il est important de réaliser que nos croyances sous-jacentes contiennent la sagesse même dont nous avons besoin pour transcender nos limites et notre insatisfaction actuelles. Elles nous motivent à compenser nos lacunes et nous portent à devenir le contraire de ce que nous disons être. Nos croyances sous-jacentes nous amènent à prouver que nous possédons une valeur, que nous méritons l'amour et que nous sommes importants. Mais, si nous ne nous en occupons pas, ces croyances sous-jacentes se retournent contre nous et sabotent ce que nous désirons le plus en laissant leurs messages négatifs limiter notre vie.

POURQUOI AVONS-NOUS « BESOIN » DE NOTRE HISTOIRE

Nous restons dans notre histoire — en sécurité dans notre capsule — afin de pouvoir nous raccrocher au confort de ce que nous connaissons et nous reposer avec le sentiment rassurant et familier d'être à la maison. Lorsque la vie devient difficile et que nous commençons à expérimenter la douleur que nous occasionnent nos limites ou la déception de vivre au-dessous de nos propres normes, nous pouvons au moins compter sur une chose : la prévisibilité de notre histoire. Notre histoire nous donne quelqu'un et quelque chose à quoi nous identifier. Le pire sentiment est celui de n'être rien, de penser que notre vie et notre personne n'ont aucune importance. La plupart d'entre nous préférons être une personne qui ne mérite pas l'amour plutôt qu'un être invisible. Ainsi, dans une tentative désespérée pour donner un sens à notre vie, nous créons une histoire que nous répétons. Et en nous accrochant à ce que nous pensons être, nous perpétuons notre drame. Puis, peu à peu et sans le vouloir, nous devenons ce drame. Nous jouons notre histoire et la transportons avec nous comme une marque d'honneur. Nous nous acharnons à maintenir notre histoire vivante, et ce faisant, sans nous en rendre compte nous devenons victimes de l'histoire que nous avons inventée pour protéger notre secret. Nous devenons victimes de la vie.

Quand nous nous apercevons que nous nous sommes identifiés à notre histoire et que nous avons restreint notre moi plus grand, plus profond et plus vrai, notre première réaction est de vouloir nous débarrasser de cette histoire. Mais puisque nous sommes devenus cette histoire et que nous l'avons laissée nous dicter l'envergure et le cours de notre vie, une question effrayante surgit : si nous ne sommes pas notre histoire, qui sommes-nous ? À l'extérieur de notre histoire, la vie nous semble terrifiante et impossible à maîtriser. Elle empeste l'imprévisibilité et l'incertitude. Nous craignons qu'en abandonnant notre drame, nous perdrons notre identité et notre place — quelle qu'elle soit — dans le monde. Qui nous protégera ? Qui nous aimera ? À quoi appartiendrons-nous ? Voilà une perspective angoissante pour n'importe quel être humain. Une peur inconsciente maintient notre histoire : nous croyons qu'en abandonnant notre identité, en nous concentrant vers l'intérieur, nous serons dévorés par le vide. Notre volonté d'être quelqu'un, de posséder des choses, constitue le cœur de notre lutte humaine. La peur de ne pas exister est si profonde que la plupart d'entre nous nous contentons d'une version reconditionnée du moi que nous connaissons au lieu de nous éveiller au cœur de l'inconnu.

J'ai passé énormément de temps à lutter pour être « quelqu'un », avoir un but et une vie qui a un sens. Cependant, au fil des ans, ma quête spirituelle m'a enseigné que pour accéder à la liberté, pour devenir la femme unique que je suis, je dois embrasser tant l'ampleur de ma divinité que l'insignifiance de mon humanité. Je dois accepter le fait que je suis tout et rien.

Mon rabbin, Moshe Levin, m'a raconté une histoire qui vient du Talmud. On a demandé à une personne d'écrire les mots suivants sur un bout de papier : *je ne suis que poussière et cendres*, de le mettre dans sa poche et de méditer sur cette phrase. Sur un autre bout de papier, il devait inscrire : *l'univers entier a été créé pour moi* et le placer dans son autre poche. En méditant à la fois sur ces deux réalités, ce chercheur de vérité a pris conscience que les deux étaient vraies.

En considérant la vie à partir de la perspective la plus large, nous voyons que nous sommes de simples gouttes d'eau. Avant d'accepter notre vide absolu et notre insignifiance propre, nous nous acharnons à devenir quelqu'un. Lorsque nous comprenons que nous sommes *tout et rien* — une fois que nous acceptons l'histoire et l'au-delà, l'ombre et la lumière — nous devenons entiers, des êtres humains unifiés. Nous nous ouvrons à un monde situé au-delà du connu. Nous pouvons alors connaître la merveilleuse expérience de voir que nous appartenons à l'univers entier et que nous en constituons une partie vitale. Nous pouvons nous émerveiller que l'univers entier ait été créé juste pour nous. C'est à ce moment que nous saisissons l'immensité de notre essence véritable.

Je sais qu'il s'agit d'un concept difficile pour bon nombre d'entre vous et que vous n'êtes peut-être pas prêt à l'aborder. Mais je vous promets que si vous laissez cette idée vous pénétrer et que vous l'explorez, une nouvelle possibilité surgira. Lorsque vous acceptez vos victoires et vos défaites, vos faiblesses et vos forces, votre grandeur et votre insignifiance, vous vous sentez suffisamment en sécurité pour permettre l'émergence de votre secret divin. Ce n'est qu'en retournant à l'état de plénitude que vous sentirez que vous méritez d'exprimer la plus grande vérité sur vous-même.

LE FAUX SOI

Notre histoire s'apparente à nos vieux amis. Même quand ils parlent trop, nous sommes au moins en terrain de connais-sance — une situation moins menaçante que de se lier à un groupe de personnes étrangères. La plupart d'entre nous choisissons continuellement le confort de ce que nous connaissons. Nous restons à l'intérieur de nos réalités limitées pour ne pas avoir à affronter la peur que nous inspire ce que nous ne connaissons pas. Toutefois, sous la surface s'amoncelle une profonde insatisfaction à propos du *faux soi* que nous avons créé et l'histoire qui s'y rattache. C'est ici que s'amorce le combat. Cette insatisfaction nous tire constamment de l'avant et nous chuchote à l'oreille : « La vie ne peut se résumer qu'à cela. »

Afin d'embrasser l'immensité de ce que nous sommes vraiment et d'entreprendre le voyage qui nous mènera au-delà des limites de notre histoire pour retrouver notre moi véritable, nous devons d'abord affronter l'ultime vérité et souvent la plus douloureuse réalité : nous n'avons jamais été séparés du divin. Nous sommes une pièce du puzzle divin. Il est possible que nous ayons l'air isolés et la plupart d'entre nous mourrons avec l'idée que nous le sommes. Cependant, notre individualité n'est qu'une illusion. Elle n'est qu'une distraction pénible qui nous maintient dans une course sans fin pour obtenir quelque chose de plus ou de mieux que ce que nous possédons. Cette course est futile car elle s'appuie sur la fausse conclusion que nous sommes « imparfaits ». Dans notre isolement, nous luttons pour créer des versions plus grandes et meilleures de nous-mêmes, tentant désespérément de réparer ce que nous croyons brisé. Nous abandonnons notre moi naturellement divin et essayons frénétiquement de nous ancrer dans notre identité unique. Nous désertons notre moi divin en faveur d'une image de soi. Mais cette image de soi — cette identité que nous recherchons — ne représente pas ce que nous sommes. C'est le faux soi que nous avons forgé pour nous définir. Notre faux soi est le personnage principal de notre histoire et nous croyons à tort que nous sommes cette personne. Il s'agit plutôt de notre personnage, de l'image que nous avons instaurée pour nous donner une identité distincte. Et notre histoire constitue notre tentative désespérée de donner du sens à notre existence, de définir ce qui ne peut être défini. Notre faux soi réside dans notre histoire. Notre faux soi est le héros, la victime et la vedette de notre histoire. Il conserve notre histoire intacte et nous calme avec un faux sentiment de prévisibilité et de sécurité.

LA SÉPARATION DU DIVIN

À partir du moment où nous nous identifions à notre faux soi, où nous nous confondons à notre histoire, nous échappons au divin et pénétrons dans une illusion réduite d'un moi isolé. C'est alors que commence le jeu appelé « Regardez-moi, je suis distinct de vous ». Nous nous engageons dans ce jeu parce qu'il nous permet de maintenir l'illusion que nous sommes vraiment des êtres distincts et uniques. Même si, à ce stade de notre cheminement spirituel, nous comprenons intellectuellement que nous formons un tout, nous continuons inconsciemment à lutter pour conserver la vie distincte qui nous est familière et à éviter l'expérience de l'unité. Nous croyons qu'en acceptant l'ultime vérité, c'est-à-dire notre unité, la spécificité à laquelle nous tenons tant disparaîtra. Notre tâche consiste à affronter cette vérité, car en vivant à l'intérieur de notre histoire et dans l'illusion d'une séparation, nous ne connaissons pas la vraie vie mais plutôt un éternel jeu de désir — de peur et de désir. C'est un jeu auquel nous ne pouvons gagner. C'est un jeu appelé « Si seulement ». « *Si seulement* j'étais riche, célèbre, en bonne santé, plus intelligent, plus sage, plus rapide, plus perspicace ou plus jeune, je gagnerais et trouverais le bonheur que je mérite. » « *Si seulement* je connaissais plus de gens, avais un meilleur emploi ou ma propre entreprise, j'aurais ce que je veux et je serais heureux. » « Quand j'aurai une nouvelle maison, une voiture neuve, une autre amoureuse ou des vêtements neufs, je me sentirai tellement bien. » « *Si seulement* on m'appréciait, me respectait, m'aimait ou me voyait, je satisferais mes plus chers désirs. » Peut-être votre jeu consiste-t-il à vous débarrasser de quelque chose. « *Si seulement* je n'étais pas si égoïste, si grosse, si paresseuse, si en colère, si amère, si fatiguée ou si fauchée. » « *Si seulement* mes enfants, mon mari ou ma mère cessaient de mal se conduire. » Ou encore les classiques : Quand j'aurai enfin atteint mon poids idéal ou trouvé le but de ma vie, je serai satisfait. » Il est impossible de gagner à ce jeu. C'est un piège, un labyrinthe infini, sans issue.

Jour et nuit, nous nous livrons à des manipulations, nous élaborons des stratégies afin de gagner au jeu appelé « Si seulement ». Ce jeu fait partie de notre histoire. Il a été conçu pour nous tenir occupés et fournir un point de référence à notre identité individuelle. Mais si nous acceptons de bien le considérer, nous découvrons que le jeu n'est rien de plus qu'un leurre qui dissimule la vérité, qui recouvre notre essence véritable. Pour mettre fin à cette lutte, nous devons nous rendre compte qu'une bonne partie de ce que nous croyons à propos de nous-mêmes n'est qu'une histoire. Pour la plupart d'entre nous, cette histoire est paralysante. Nous l'avons créée afin de nous donner une identité et de protéger le caractère sacré de notre essence véritable. Et nous aurons besoin de notre histoire et du secret qu'elle renferme pour ramener la présence de notre divinité et découvrir le but de notre vie.

ACCEPTER NOTRE HISTOIRE

Notre histoire a un but divin. Elle est réelle et constitue une partie nécessaire de notre évolution personnelle. Jusqu'à ce que nous comprenions l'importance de notre histoire, nous demeurons prisonniers du cercle vicieux dans lequel nous tentons de réparer des parties de nous-mêmes qui ne sont pas défectueuses. De l'information importante se trouve enfouie dans notre récit personnel, des perles de sagesse qui ne demandent qu'à être extraites et qui renferment la clé de notre contribution spéciale au monde. Notre histoire contient les éléments précis dont nous avons besoin pour devenir les personnes que nous avons toujours voulu être. Chacune de nos histoires recèle la recette divine de la vie la plus extraordinaire.

Pour découvrir cette recette, il faut d'abord s'apercevoir que notre histoire n'a pas été inventée uniquement pour nous protéger mais, inconsciemment, pour rassembler la sagesse et les expériences nécessaires à la réalisation de notre objectif de vie. Notre histoire a été créée pour que nous apprenions les leçons qu'elle avait à nous enseigner. Nous sommes comme de grands chefs. Nous avons passé notre vie dans la cuisine, à mijoter de la douleur, de la joie, des succès et des échecs afin de réunir les éléments nécessaires servant à la manifestation de notre moi le plus extraordinaire. Mais notre histoire — avec tous ses drames et ses souffrances non résolues — masque cette recette.

La majorité d'entre nous sommes tellement distraits par le drame de notre histoire que nous avons oublié notre but divin. Nous sommes tellement pris par la souffrance de notre histoire personnelle et l'intention de tromper les autres, que nous ne comprenons même pas que notre douleur a un but. Cela mérite d'être répété : Toute notre souffrance a un but. Elle nous enseigne des leçons, nous guide et nous donne la sagesse dont nous avons besoin pour offrir nos dons au monde. La plupart d'entre nous utilisons nos traumas et nos blessures pour nous rabaisser, pour rester bloqués et restreindre notre envergure. Mais lorsque nous examinons nos souffrances et nos déceptions et que nous les prenons comme des outils d'apprentissage, elles nous communiquent des leçons de vie sacrées qui ne peuvent être enseignées que de cette façon.

Nous sommes ici pour apporter notre touche unique et servir le monde comme seuls nous le pouvons. Dans la classe de maternelle de mon fils, l'enseignante, Mme Knight, a démontré ce principe. Le premier jour de classe, Mme Knight a remis à tous les élèves un morceau de casse-tête portant un numéro à l'endos. À mesure qu'elle appelait chaque élève par son numéro, chacun et chacune apportaient son morceau et Mme Knight le plaçait au bon endroit dans le cadre qui maintenait le casse-tête. Il y avait vingt enfants et donc, vingt pièces de puzzle. Lorsque Mme Knight a finalement nommé le numéro vingt, il ne manquait qu'un morceau pour former l'image complète, ce qui empêchait d'en admirer la beauté. Le petit garçon à qui avait été assigné le numéro dix-neuf n'était pas à l'école ce jour-là. Pour que soit révélée l'image en entier, sa contribution était nécessaire. Ainsi, Mme Knight a très bien montré aux enfants l'importance que chacun d'eux avait pour former un tout.

J'étais assise là, les larmes aux yeux, à penser que chacun de nous représente une contribution essentielle à l'humanité entière. Nous détenons tous un morceau important pour composer l'image de la vie. Lorsque nous demeurons accrochés au passé, que nous détestons notre vie, notre histoire et nous-mêmes, nous ne pouvons réclamer notre pièce du puzzle afin de la placer à l'endroit approprié. Jusqu'à ce que nous fassions la paix avec notre histoire, il nous est impossible d'extraire les ingrédients dont nous avons besoin pour exprimer notre divinité. Notre histoire — chacune de nos expériences, les parties de nous que nous apprécions et celles que nous détestons — est ce qui rend notre pièce unique. Certains d'entre nous détiennent la pièce du milieu, d'autres celle de la fin et d'autres encore ont un morceau du contour. Aucune pièce du puzzle n'est pareille à une autre. Il y en a des semblables, mais aucune identique. Notre contribution unique est en veilleuse et attend le moment où nous aurons rassemblé toutes les expériences nécessaires pour utiliser notre morceau du casse-tête. Chaque jour, nous faisons naître des expériences parfaites pour acquérir la sagesse qu'il nous faut pour élaborer notre recette unique, notre pièce du puzzle.

LA DÉMARCHE

Le secret oublié vous fera prendre conscience que votre histoire ne s'instaure pas en vue de définir qui vous êtes en réalité. Elle est une petite partie de vous-même qui vous garde prisonnier d'une structure répétitive et qui limite l'amour, la paix intérieure et les succès que vous connaissez. Pour réussir à voir notre moi en entier et nous rendre compte de notre magnificence, nous devons nous libérer de notre histoire. Cela nous permet d'abattre les murs solides qui entourent notre cœur. Pour vivre à l'extérieur de notre histoire, nous devons guérir nos blessures et faire la paix avec notre passé. Nous devons exprimer la douleur et accepter les imperfections et les insuffisances inhérentes à notre caractère humain. Jusqu'à ce que nous acceptions qui nous sommes et comprenions la raison de notre présence en ce monde ainsi que les grandes leçons que nous enseigne la vie, nous restons prisonniers de la petitesse de notre histoire personnelle.

Afin de transcender notre histoire, il nous faut accepter la lutte quotidienne de notre existence. Seulement lorsque nous vivons notre vie telle qu'elle est exactement, pouvons-nous en changer le sens. En vivant à l'extérieur des limites de notre histoire, nous apprenons d'abord à définir clairement toutes les façons dont nous nous isolons pour rester enfermés dans notre fiction. Naîtra ensuite la volonté d'en finir avec tous les moyens qui nous servent à éviter de reconnaître et d'accepter avec amour le vide en nous. Nous percevrons alors toutes les façons dont nous tentons de nous définir afin que personne ne nous prenne pour quelqu'un d'autre, tous les moyens par lesquels nous cherchons à combler notre identité afin d'éviter de sentir le vide profond en nous.

Ce livre vous montrera comment utiliser votre histoire ; il vous apprendra à retirer une valeur de tous vos traumas et vos lacunes, afin que de vos blessures naisse la sagesse. Il vous propose une démarche pour arriver à trouver votre recette unique et à dévoiler le secret qui est enfoui dans l'ombre de votre histoire. Voici venu le temps d'explorer les moyens par lesquels vous pouvez exploiter votre histoire en vue d'enrichir votre vie et celle d'autrui. C'est pourquoi votre histoire existe, mais vous ne pourrez l'utiliser que lorsque vous serez prêt à émerger du récit qui s'intitule « Vous ».

Au cours des prochains chapitres, nous cernerons les nombreuses façons qui ont servi à notre poursuite d'une vie satisfaisante, du bonheur. Chaque fois que nous courons aveuglément après quelque chose, nous devons nous arrêter pour nous questionner sur la raison de cette poursuite. C'est alors que nous découvrons des indices importants. Que nous désirions l'amour, l'attention, le respect ou la réussite sociale, il est essentiel de savoir que notre désir constitue une tentative de combler un certain vide ou un manque qui réside au plus profond de nous-mêmes. Nous devons reconnaître que nos stratégies pour trouver la satisfaction ont échoué. Nous sommes alors en mesure de considérer tous les moyens par lesquels nous nous sommes infligé du tort, avons vendu notre âme pour tenter de nous montrer sous un meilleur jour et d'améliorer notre histoire.

Le secret oublié porte sur la découverte de votre essence véritable. Ce sera votre guide pour vous ramener à la maison — le lieu auquel, au plus profond de vous, vous savez que vous appartenez. En présence de votre essence véritable, libéré de votre histoire, vous saurez que vous constituez la totalité du l'univers — à la fois le vide de votre plus petit moi et la plénitude de votre humanité. En vous libérant de votre histoire, vous découvrirez que la personne que vous avez toujours voulu être ne fait pas partie de votre histoire. Une fois à l'extérieur, vous vous rendrez compte que la vie dont vous rêvez et la satisfaction de vos désirs les plus intenses s'offrent à vous. Vous voudrez partager avec le monde le secret qui a été oublié dans l'ombre de votre histoire. C'est alors que vous saurez ce que c'est que de vivre dans la gloire de votre moi le plus grandiose.

ACTIONS REQUISES POUR LA GUÉRISON

1. Entreprenez la démarche en vous procurant un joli journal intime que vous intitulerez Mon histoire merveilleuse et mystérieuse. Engagez-vous à y inscrire vos sentiments, vos pensées et les prises de conscience qui surgissent à mesure que vous effectuez les exercices proposés dans ce livre. En faisant ces exercices, tâchez de ne pas vous restreindre ni vous censurer ; permettez-vous plutôt d'exprimer ce qui vous vient à l'esprit ou ce que vous dicte votre cœur.

2. Choisissez un moment où vous pouvez être seul et mettez-vous à votre aise. Créez-vous un endroit où vous n'aurez pas de distractions et placez votre journal à portée de la main. Fermez les yeux et respirez plusieurs fois lentement et profondément pour rentrer davantage en vous-même à chaque respiration. Détendez-vous complètement, restez tranquille et consacrez les quelques prochaines minutes à votre croissance spirituelle et à votre propre découverte. Respirez profondément encore une fois et laissez votre conscience s'installer doucement dans la région de votre cœur. Tout en respirant, prenez conscience de votre lien avec votre être intérieur — l'essence qui vous a accompagné à chaque instant de votre vie.

Imaginez que vous regardez le film de votre vie. Voyez-vous à votre naissance. Remarquez le visage des personnes qui s'occupaient de vous en tant que nouveau-né. Représentez-vous durant la petite enfance, en train d'apprendre à marcher et à parler. Rappelez-vous vos années passées à l'école ; voyez les visages et entendez les voix des personnes qui ont joué un rôle important — bon ou mauvais — durant vos années d'apprentissage. Laissez ce film se dérouler sur l'écran de votre conscience et souvenez-vous de vos amours, de vos pertes, de vos déceptions, de vos défis et de vos réalisations. Acceptez en toute confiance la perfection de tout ce qui vous vient à l'esprit.

Respirez à fond tout en réfléchissant aux nombreuses expériences que vous avez vécues sur cette terre.

Pensez que chacune de ces expériences, que chaque événement de votre vie, s'est déployée en toute harmonie selon un plan divin. Considérez la possibilité que chaque personne, événement et situation aient fait partie de votre vie en vue de vous éveiller à votre propre sagesse intérieure. Réfléchissez à l'idée que vous êtes venu au monde avec une contribution unique à y apporter et que chaque expérience de votre vie vous enseigne à offrir votre don spécial. Respirez encore profondément et, lorsque vous êtes prêt, ouvrez lentement les yeux et écrivez dans votre journal toutes les pensées et tous les sentiments qui sont présents en vous.

3. Chaque chapitre comprendra une contemplation — une idée à considérer, sur laquelle vous devez réfléchir et accepter peu à peu. Prenez le temps — une ou deux semaines — de bien réfléchir à ce que révèle chaque contemplation.

Contemplation

« Ma vie a un plan divin. »

Chapitre 2

VOTRE RECETTE PERSONNELLE

A u fil de votre vie, il est possible que vous ayez goûté à la douceur de l'amour, à l'amertume de la déception ou de la perte qui s'installe après de trop nombreuses peines. Chacune de ces expériences constitue un ingrédient de votre recette personnelle. Sans elles, vous ne seriez pas ce que vous êtes. Lorsqu'elles sont bien intégrées et comprises, ces expériences vous fournissent tout ce dont vous avez besoin — la sagesse, la connaissance de soi et la force — pour réaliser votre rêve ultime.

L'univers dans toute sa perfection concourt à nous offrir exactement ce qu'il nous faut pour réussir notre recette. Il nous donne la joie, le malheur, le désir, la satisfaction, la dépendance, les aspirations, les traumas, le divorce. Pensez aux circonstances uniques dans lesquelles chacun de nous est venu au monde. Certains sont afro-américains, d'autres caucasiens, hispanophones, asiatiques ou métis. Certains ont été choyés, d'autres négligés. Certains ont été battus, d'autres bichonnés. Certains ont tout reçu, d'autres n'ont rien eu. Peut-être croyons-nous avoir obtenu un mauvais lot dans la vie, mais nous avons reçu exactement ce dont nous avons besoin pour compléter notre recette. Chaque expérience de votre vie constitue un ingrédient particulier et essentiel à la recette appelée « vous ».

Imaginez que Dieu est un grand chef qui désire élaborer des millions de desserts différents afin de satisfaire et de régaler ses enfants. Dans sa sagesse, il sait qu'il lui faut quantité d'ingrédients pour concevoir un tel festin. Il sait qu'un gâteau ne contenant que du sucre ne sera pas bon. Il nous donne donc tous les ingrédients nécessaires pour devenir le dessert le plus délicieux possible. Toute expérience de perte et de gain, de douleur et de plaisir constitue un ingrédient essentiel. Chacun de ces ingrédients est rempli de sagesse et existe afin de nous apprendre des choses, de nous guider et de nous fournir l'information vitale qui nous soutiendra dans notre démarche pour devenir la personne que nous désirons le plus être.

LA RECETTE APPELÉE DEBBIE FORD

Dans ma douloureuse histoire dramatique, j'ai découvert la recette parfaite pour créer la Debbie que je voulais être. En tête de la liste des ingrédients se trouvait la benjamine d'un grand frère et d'une grande sœur pas très heureux de faire ma connaissance. Il y avait aussi, parmi mes ingrédients, un besoin désespéré d'être aimée et acceptée et un système affectif extrêmement sensible. Ajoutez à cela un dialogue interne assourdissant qui me maltraitait constamment, qui me répétait que je n'étais pas désirée ni digne d'être aimée. Mélangez ensuite treize années de consommation de drogues afin que je puisse découvrir les profondeurs de ma propre obscurité et instaurer une solide relation avec mon sentiment d'impuissance. Incorporez un peu de haine de soi et une bonne dose de névrose. Sans oublier une grande quantité d'autodétermination qui m'a amenée à consacrer cinq ans à rechercher des réponses à quelques-unes des questions les plus difficiles de la vie. Versez un vécu de vingt-cinq ans à rendre tout le monde coupable — Dieu, l'univers, mes parents — afin de m'assurer que j'avais le pouvoir de me rendre malheureuse pour le restant de mes jours. Saupoudrez enfin une pincée d'arrogance ainsi que l'illusion de tout connaître et vous obtenez ainsi la recette parfaite pour me motiver à trouver des façons d'aimer et accepter toutes les parties de ma personne.

Cela m'a pris bien des années pour m'apercevoir que la mission consistant à « me réparer » était une tâche sans fin et sans merci, un puits sans fond qui me menait nulle part. Je croyais vraiment que j'irais mieux une fois que je me serais débarrassée des ingrédients de ma recette que je n'aimais pas. Toutefois, en luttant sans succès contre les parties de moi-même dont je ne voulais pas, je me suis aperçu que je n'avais pas besoin de rejeter quoi que ce soit. Je devais plutôt intégrer et accepter tout l'ensemble.

J'ai réalisé que pour être la personne que j'avais toujours voulu être, j'avais besoin de tous les ingrédients de mon mélange. J'avais besoin de toutes les expériences de force et de faiblesse, de courage et de peur, du succès et d'échec. Tant que j'essaierais de retirer de mon mélange certains ingrédients dont je ne voulais pas — mes traumas, ma faiblesse, mon manque de confiance en moi — je resterais une « pâte non cuite », un potentiel non développé. Par contre, en intégrant et en mélangeant tous mes ingrédients et en appréciant leur contribution particulière, je serais finalement en mesure de reconnaître que je disposais de tout ce qu'il fallait pour constituer mon moi parfait. J'avais passé des années à tenter de devenir une autre personne que moi-même. J'ai donc été enchantée de découvrir que je n'avais qu'à cesser d'essayer d'être ce que je n'étais pas. J'ai finalement compris que pour faire un gâteau parfait, il faut parfois un peu de sel et qu'en compensant trop l'amertume en ajoutant de grandes quantités de sucre, le résultat peut être indigeste.

Nous venons tous au monde dotés d'une mission spéciale. Comme si la recette de notre plus grand accomplissement était inscrite dans notre âme. Cette recette est différente pour chacun d'entre nous ; il n'y en a pas deux identiques. Afin de découvrir votre recette, vous devez connaître les ingrédients de votre mélange.

Ma recette exigeait que j'attende trente-huit ans avant de trouver l'homme qui me convenait. Puis, elle m'a fait donner la vie à la personne que j'aime le plus dans l'univers entier, avant d'assister à l'effondrement de mon mariage. Le prochain ingrédient a été un divorce imprévu qui a fait resurgir toute la douleur et le trauma causés par le divorce de mes parents. La crainte envahissante de ne pouvoir survivre par moi-même a fourni une saveur agréable qui m'a fait rassembler le courage et l'énergie nécessaires pour écrire mon premier livre : *The Dark Side of the Light Chasers*. Tous ces traumas, ou ingrédients, m'ont donné la volonté et la sagesse de creuser profondément en mon âme pour produire ce livre.

Jamais je n'aurais pensé que mes souffrances et ma noirceur, mon égoïsme et mon désir incessant d'apporter une contribution au monde, étaient en train de se mélanger soigneusement entre eux pour me permettre d'accéder à la meilleure version de moi-même. La recette parfaite de ma vie ne demandait qu'à être découverte. J'ai appris à faire confiance aux pouvoirs existants et j'ai réalisé humblement que personne ne sait vraiment de quelles expériences nous avons besoin pour être en mesure d'offrir notre plus grand don.

En accomplissant ce qu'il fallait pour régler mes comptes avec mon ancien mari, j'accumulais sans le savoir de la sagesse et des ingrédients essentiels à inclure dans ma recette. La préparation de mon deuxième livre, *Spiritual Divorce*, m'a fait croître et prendre de l'envergure et m'a forcée à me sentir responsable de ma réalité, malgré les gestes de mon ancien mari — ou de n'importe qui d'autre. Cela m'a poussée à prendre le grand chemin et à me demander : « Comment vais-je progresser à partir de cette situation ? Comment cette situation peut-elle me servir à trouver mon moi le plus divin ? » Bien sûr, j'avais d'autres options : j'aurais pu réprouver ma douleur ; j'aurais pu me prendre en pitié. À la place, j'ai choisi de rechercher l'or, les bijoux, et de me dire : « Pourquoi dois-je donc vivre cette expérience ? Que puis-je en retirer ? Quelle contribution puis-je apporter maintenant que j'ai vécu cette situation ? » J'ai vécu la vie qui convenait parfaitement au travail que j'accomplis maintenant. Car je ne pourrais aider les autres à guérir leurs blessures et à créer la vie de leur rêve, si je ne l'avais pas d'abord fait pour moi-même.

UN BUFFET DIVIN

Imaginez-vous en train de feuilleter votre livre de recettes favori. Vous y découvrez plusieurs recettes destinées aux *êtres humains passionnés, comblés, prospères et extraordinaires.* Intrigué, vous vous reportez immédiatement aux pages indiquées pour connaître les ingrédients qui produisent de tels chefs d'œuvre. À la première page, vous voyez :

Mélangez quatorze traumas, quatre peines d'amour, une mère qui aime trop, un père qui ne montre pas ses sentiments et un mari infidèle. Incorporez la chance d'être une mère célibataire avec deux enfants. Ajoutez quatre doses supplémentaires d'égoïsme, une croyance sous-jacente selon laquelle je ne suis pas assez bonne et un ego qui crie : « je vais prouver à tout le monde que je suis bonne ». Et voilà Lynda, âgée de quarante-deux ans, une directrice financière parfaitement satisfaite à la tête d'une compagnie valant dix-sept millions de dollars.

À une autre page :

Alliez des parents divorcés à des frères jumeaux qui vous persécutent quotidiennement. Incorporez quatre ans de mariage insatisfaisant et une entreprise très prospère, six années de dépression et une maladie du système immunitaire. Ajoutez un dialogue intérieur qui vous rappelle que quelque chose ne va pas chez vous. Garnissez avec un profond sentiment intérieur que les choses vont s'arranger si vous souffrez assez longtemps. Mêlez un amour passionné pour la musique et les arts. Cuisez à feu élevé pendant quarante-trois ans et presto ! Voici Jeffrey un chansonnier et réalisateur d'émissions télévisées pour enfants, leur enseignant comment être aimables les uns envers les autres.

Et encore à une autre page :

Prenez des parents ayant de grandes attentes et contrôlant vos moindres gestes. Ajoutez une bonne dose de sentiment d'imperfection, douze années de dur labeur pour devenir une étudiante modèle, seize réussites étonnantes et seize expériences de vide profond. Incorporez deux tentatives de suicide et quatre dépressions. Saupoudrez un amour pour les mathématiques et les sciences et une facilité à ressentir de l'empathie devant les problèmes d'autrui. Mêlez une foi inébranlable en Dieu et une portion d'épanouissement personnel. Laissez reposer pendant trente-deux ans et vous obtenez Pam, une psychologue pour enfants ayant une approche holistique.

Il est assez facile de constater comment les caractéristiques positives contribuent à votre recette unique. Vous pouvez certainement voir ce que vos talents, vos habiletés naturelles et vos rêves d'enfance ont apporté à votre vie et à la personne que vous êtes devenue. Cependant, les événements traumatisants — les expériences qui vous ont blessé — constituent une part tout aussi importante du mélange qui vous aidera à devenir tout ce que vous pouvez être. Chaque insécurité, chaque peur, chaque tragédie, chaque obsession, chaque relation brisée et chaque situation honteuse offrent des pistes qui vous conduisent à votre moi le plus merveilleux. Mélangez-les et elles vous propulseront vers la contribution unique que vous êtes. En acceptant tous les ingrédients de votre recette et en les intégrant à votre mélange, la personne que votre âme désire être est le mets qui en résultera.

UTILISER VOS INGRÉDIENTS

La plupart d'entre nous souffrons sans répit en raison des ingrédients de notre recette dont nous ne voulons pas, mais il existe des gens extraordinaires qui choisissent d'utiliser leur souffrance pour contribuer au monde. La mort d'un enfant est l'un des pires ingrédients que l'on puisse imaginer avoir dans sa recette, mais peut-être est-il prévu dans le plan divin que cette expérience vous serve à sauver la vie de milliers d'autres enfants. John Walsh, l'animateur de l'émission *America's Most Wanted*, a lui-même vécu cette expérience. Après l'assassinat de son fils de six ans, Adam, John s'est fait le défenseur des droits des victimes et a apporté un éclairage sur un sujet dont on n'entendait pas parler depuis des années. Désirant donner un sens à la mort de son enfant, John a transformé sa colère en action et a mis sur pied une émission nationale grâce à laquelle des dizaines de milliers de criminels et de délinquants sexuels ont été incarcérés. John Walsh aurait pu facilement choisir de croupir dans son deuil des années durant, mais il a plutôt décidé de l'utiliser pour apporter sa contribution au monde.

Connu comme l'un des enfants le plus gravement maltraité de l'État de Californie, Dave Pelzer a été sauvagement battu et privé de nourriture par sa mère alcoolique qui souffrait d'un déséquilibre sur le plan psychologique. Grâce à son courage, à sa force et au pardon, Dave a transformé ses blessures en sagesse et a écrit un compte rendu captivant de sa vie qui a touché des milliers de personnes. Son livre, *A Child Called "It"*, a figuré au palmarès des best-sellers du *New York Times* durant trois ans et a été mis en nomination pour un prix Pulitzer. Peu de gens choisiraient consciemment les agressions physiques et psychologiques comme ingrédients de leur recette de vie, et nous devons remercier Dieu que Dave ait décidé d'utiliser son expérience pour agir profondément sur la vie des autres.

À l'âge de dix-neuf mois seulement, Hellen Keller est devenue sourde et aveugle après avoir subi une fièvre qui a failli l'emporter. S'élevant au-dessus de l'ignorance de son époque et dépassant sa frustration, Helen était bien décidée à communiquer avec le monde grâce aux trois sens qui lui restaient. Elle est devenue une communicatrice habile et passionnée et a écrit treize livres. En donnant des conférences partout dans le monde en faveur des personnes handicapées et désavantagées, pratiquement à elle seule, elle a détruit de vieux mythes concernant la cécité. Imaginez de quoi le monde aurait été privé si Helen Keller avait choisi de s'apitoyer sur elle-même, de rejeter les ingrédients de sa recette.

Viktor Frankl a été emprisonné à Auschwitz pendant cinq ans. Lorsque sa mère, son père et son épouse enceinte ont été tués par les nazis, Frankl s'est raccroché à ce qu'il appelait « la dernière des libertés humaines — c'est-à-dire pouvoir choisir son attitude en toutes circonstances ». En acceptant les ingrédients dévastateurs que représentaient ces morts, Frankl a reçu l'inspiration pour écrire *La recherche du sens de la vie*, un livre qui a été reconnu comme l'une des œuvres humanistes de grande influence.

Nous devons être capables de considérer toute notre histoire — incluant nos traumas, nos handicaps, nos échecs et nos problèmes situationnels — et d'en remercier Dieu. Ces expériences ont été créées sur mesure pour nous aider à offrir notre contribution personnelle.

Réfléchissez à ceci. Pourquoi certains événements vous ont-ils autant blessé, tandis qu'ils n'ont pas du tout atteint le reste de votre famille ? Vous aviez besoin de la sagesse qu'ils vous ont apportée. Peut-être cette souffrance vous a-t-elle enseigné une grande leçon que vous n'auriez pas reçue si elle n'avait pas été aussi intense. Peut-être deviez-vous naître avec un handicap grave afin de pouvoir prouver le caractère indestructible de votre esprit. Peut-être fallait-il que vous surviviez à la perte de votre enfant afin d'être en mesure d'en sauver des milliers d'autres. Peut-être aviez-vous besoin de toucher le fond dans la drogue, l'alcool ou la haine de soi, avant de pouvoir rassembler le courage nécessaire pour prendre votre vie en main. Tous nos traumas et nos problèmes d'ordre émotionnel sont là pour nous aider à réaliser notre être le plus suprême. Beaucoup de nos ingrédients les plus importants se terrent sous un voile de douleur. Dans cette douleur sont encodés des renseignements capitaux et la sagesse qui nous serviront à réunir nos talents spéciaux. Personne ne peut vous enseigner ce que vous vous enseignez à vous-même. Personne n'a votre perspective unique. Jusqu'à ce que vous voyiez la perfection de tous vos ingrédients, vous ne cesserez d'essayer de changer et de réparer votre histoire, au lieu de l'utiliser pour sa raison d'être : réaliser votre but divin.

LA DOULEUR QUI DÉCOULE DE LA HAINE DE NOTRE RECETTE

La majorité d'entre nous passons la plus grande partie de notre vie à juger les ingrédients de notre recette. Nous critiquons ce qu'il y a en nous : « j'ai trop d'œufs » ou « il n'y a pas assez de sucre » ou encore « si seulement j'avais plus d'épices ». En d'autres termes, nous rejetons certains aspects de nous-mêmes et en acceptons d'autres. Aussi loin qu'elle puisse se rappeler, mon amie Shirley a entendu dire qu'elle était bavarde. À l'école, on lui reprochait de trop parler et elle se sentait exclue de son cercle d'amis parce que ce n'était pas bien vu d'avoir autant d'opinions. Son franc-parler gênait même sa famille, qui l'avertissait constamment de baisser le ton. Shirley a passé ses premières vingt et quelques années à détester cet ingrédient de sa recette et a tenté plusieurs fois, en vain, de s'en débarrasser.

Un jour qu'elle assistait à son cours préféré de sociologie, Shirley parlait de manière passionnée, comme à son habitude. Après le cours, le professeur l'a prise à part et lui a dit : « Vous parlez tellement ! Avez-vous déjà pensé à faire carrière en radio ? Vous seriez payée pour parler toute la journée. » Soudain, une lumière s'est allumée dans son esprit et elle a perçu l'immense don que représentait cet ingrédient qu'elle avait toujours considéré comme une calamité. Shirley a élaboré une émission de radio qui a remporté un prix et, aujourd'hui, elle mène une enrichissante carrière en tant qu'animatrice de talk-show qui a son franc-parler et qui est bien appréciée du public.

Il n'est pas facile de voir la perfection dans des blessures et des imperfections, mais ce ne sont pas des accidents. Vous — et vous en entier — êtes divin. Peut-être n'exprimez-vous pas votre aspect divin sous votre forme actuelle, mais je vous assure que dès que vous aurez transformé vos blessures psychologiques, vous percevrez leur perfection. Prenons comme exemple le crottin de cheval. Si vous allez vous promener à la campagne et que vous trouvez sur votre chemin du crottin de cheval, vous allez probablement reculer. Cependant, pour un jardinier désirant faire pousser les roses les plus belles et les plus grosses ou donner une couleur vive à un poivron, ce même crottin devient de l'or pur. Ce que la plupart d'entre nous appelons de la merde constitue un véritable potentiel pour le jardinier, car il reconnaît l'ingrédient dont il a justement besoin pour nourrir son jardin.

En détestant certains ingrédients de votre recette, vous appelez à coup sûr des expériences douloureuses. Nos souffrances non réglées et notre haine de nous-mêmes attirent vers nous des personnes et des événements qui reflètent ce que nous ressentons envers nous-mêmes. Que ce soit sous la forme d'accidents, de relations violentes, de pertes financières ou de mauvais emplois, nous trouvons toujours des façons de nous maltraiter, car nous portons la croyance ferme que ce que nous sommes ou ce qui nous arrive n'est pas bien. Si nous sommes incapables de voir le divin dans notre recette, nous sommes voués à une vie de colère, de déception et de désirs inassouvis. Nos traumas, nos blessures, nos déceptions et nos souffrances offrent des avantages. Cependant, tant que nous ne les intégrons pas, ils resteront des grumeaux dans notre mélange. Lorsque nous retirons de la sagesse de ces expériences, nous découvrons les ingrédients spéciaux de notre recette. Nous possédons toutes les qualités, les aptitudes, la sagesse, la perfection, l'imperfection et les moyens qu'il nous faut pour faire émerger et offrir le don que nous seuls détenons.

En termes métaphoriques, ce processus consiste à rassembler, à passer au tamis, à mélanger ensemble les ingrédients que nous avons déjà en vue de préparer le meilleur dessert qui soit. En termes universels, il s'agit d'accepter et d'intégrer chaque pièce qui a contribué à créer la personne que nous sommes aujourd'hui pour être en mesure d'offrir au monde notre création unique. Accepter entièrement qui nous sommes et offrir notre recette unique à l'univers est la plus grande célébration de l'esprit humain.

Nos drames constituent une part indestructible de ce que nous sommes. Quoi que nous fassions et quels que soient les efforts que nous déployions, nous ne pouvons nous en débarrasser. Notre seule option est soit de les utiliser, soit de nous laisser utiliser par eux. J'ai choisi d'utiliser mon histoire personnelle pour écrire des livres, pour aider les autres et pour gagner ma vie. C'était peut-être le plan divin prévu pour moi : souffrir sans cesse pendant vingt-six ans, puis apprendre de mon passé, panser mes blessures et me retourner vers les autres pour les aider à transcender leurs propres souffrances. Aujourd'hui, je me sens reconnaissante envers ma douleur, sachant que jamais je n'aurais pu offrir mon enseignement sans elle. Je remercie Dieu pour les difficultés et les traumas de mon passé, car autrement la moitié des pages de mon livre resteraient blanches.

Examinez votre recette, considérez votre histoire et voyez ce que vous refusez et ne bénissez pas. C'est une excellente façon d'entreprendre votre démarche. Tant que vous ne verrez pas la nécessité de vous approprier tout ce que vous êtes, vous ne pourrez profiter des bijoux que renferme chacune des expériences de votre vie et votre histoire continuera de vous contrôler. Elle vous tapera sur la tête et vous rabaissera. Mais dès que vous percevrez la valeur des ingrédients que vous détestez, tout comme celle de ceux que vous appréciez, dès que vous reconnaîtrez que les événements douloureux sont les parfaits ingrédients pour compléter votre recette, vous assisterez à la magie de la transformation. Vous bénirez ce qui vous apparaissait auparavant comme une calamité. Vous verrez l'horreur devenir sacrée.

N'oubliez pas : vous avez le choix de passer les quarante prochaines années de votre vie à tenter de retirer certains ingrédients de votre mélange, ou vous pouvez simplement les incorporer de façon à intégrer tous vos traumas, vos victoires, vos problèmes et vos joies dans le mélange divin qui constitue votre personne.

ACTIONS REQUISES POUR LA GUÉRISON

1. Réexaminez votre vie, rappelez-vous les expériences qui ont le plus contribué à façonner la personne que vous êtes aujourd'hui. Dressez la liste des victoires, des pertes, des joies, des peines et des déceptions les plus importantes qui ont rendu votre vie unique.

2. Établissez une liste des aspects de vous-même et de votre vie que vous avez eu de la difficulté à accepter — les ingrédients de votre recette dont vous avez voulu vous débarrasser. Peut-être avez-vous longtemps lutté contre le fait de ne pas avoir d'aptitudes athlétiques ou contre la perception d'être moins joli que les autres. Vous êtes-vous senti trahi ou vaincu à cause d'un handicap, une peine d'amour, une perte d'argent ou un trauma survenu il y a longtemps ? Faites la liste de tous les ingrédients de votre recette qui, selon vous, n'ont pas de valeur ou vous ont nui.

Contemplation

« Chaque aspect de moi et de ma vie constitue un ingrédient essentiel qui me permet de réaliser mon but divin. »

Chapitre 3

EXPLORER VOTRE MERVEILLEUSE ET MYSTÉRIEUSE HISTOIRE

C hacun de nous a une histoire lui appartenant en propre. Comme une empreinte digitale, elle nous distingue et nous sépare des gens qui nous entourent. Tout ce qui a laissé une marque sur notre vie est greffé à même notre histoire. Chaque personne, événement, circonstance ou situation qui nous a profondément atteints a ses origines dans notre psyché. Que notre vie ait été influencée par de bons parents, une maladie infantile, un professeur encourageant ou une personne qui nous a négligés, chacune de ces expériences demeure en nous et devient une partie intégrante de notre identité. Les conclusions que nous faisons à propos de ces événements ainsi que le sens que nous leur accordons sont ancrés dans notre psyché et créent le scénario de notre histoire personnelle.

Je veux m'assurer que vous comprenez que votre histoire n'est pas mauvaise. En réalité, elle est probablement votre bien le plus précieux. Mais il est essentiel que vous sachiez que même si votre histoire n'est pas mauvaise en soi, elle vous limite. Votre histoire enferme votre existence et la réduit à une petite partie insignifiante de votre humanité, au lieu de vous donner accès à la plénitude de votre moi. Toutefois, dès que vous acceptez votre histoire, dès que vous faites la paix avec elle et en extrayez les ingrédients vitaux, vous émergez de l'étroitesse de vos pensées les plus basses et entrez dans l'accomplissement de vos plus grands rêves.

RECONNAÎTRE VOTRE HISTOIRE

Notre histoire renferme la collection de sentiments, de croyances et de conclusions que nous avons accumulés et traînés avec nous toute notre vie durant. Notre histoire est lourde car elle réside dans notre ego et ce dernier est presque *toujours* sérieux. Il est rarement rempli de lumière, d'amour ou de la délicieuse joie d'un enfant qui joue. Il met le plus souvent l'accent sur le côté négatif. Toute notre histoire se fonde sur ce qui aurait pu ou aurait dû arriver. Notre histoire est parsemée de souffrances, de pertes et de regrets et nappée d'espoir, de désirs et de fantasmes. Notre drame vit dans la mémoire du passé et dans l'imaginaire de l'avenir. Chaque pensée négative qui nous vient à l'esprit à propos du passé fait partie de notre histoire, tout comme l'ensemble de nos sentiments de perte et de désespoir. Nos fantasmes du genre « quand j'obtiendrai ceci ou cela » ou « quand j'atteindrai enfin mon but » résident aussi dans notre histoire. Notre histoire se manifeste rarement dans le moment présent, quand nous vivons simplement ce qui se passe. Comme une ombre, notre histoire nous suit où que nous allions et dissimule la personne que nous sommes vraiment. Elle n'est jamais très loin, mais nous ne pouvons l'examiner qu'à la lumière du jour.

Récemment, toute une fin de semaine, j'ai dirigé un atelier dans le cadre du programme d'accompagnement de sept mois que j'enseigne. Le second soir, nous avons décidé de faire une fête en pyjama. Nous avons tous mis un pyjama et nous sommes préparés à passer une agréable soirée à entendre et à raconter des histoires. Je portais mon pyjama chinois — mon préféré — alors que d'autres étaient vêtus de flanelle, de robes de nuit et de vêtements d'intérieur. Quelques hommes avaient revêtu de grands t-shirts et des caleçons boxeurs aux jolis imprimés. Puisque ce soir-là le thème principal était « Reconnaître et partager nos histoires personnelles », je voulais créer une atmosphère légère et inspirante afin de contrer le caractère sérieux que la plupart de nous accordons à notre histoire. Nous prenons notre histoire tellement au sérieux, expliquais-je, parce que nous croyons qu'elle est la vérité.

Le but de notre fête en pyjama était d'explorer et d'exposer tant notre histoire que les croyances sous-jacentes qui la maintiennent. J'ai demandé à tous de fermer les yeux et d'essayer de se rappeler un moment de leur petite enfance où ils s'étaient sentis perdus, seuls ou apeurés — un moment où quelque chose avait ébranlé leur réalité. Je les ai invités à noter tout événement leur venant à l'esprit et leur ai expliqué que cette situation, même s'ils n'en comprenaient pas le sens, fournissait un indice sur le thème de leur histoire personnelle.

J'ai fait part au groupe de ce qui était ressorti pour moi la première fois que j'avais fait cette expérience. L'incident qui m'était revenu à l'esprit s'était déroulé devant la maison où je vivais à l'âge de trois ans. Je voyais plusieurs personnes qui couraient, regardaient derrière les buissons et qui partageaient des secrets entre eux. Je me tenais d'un côté de la maison, recroquevillée dans un coin, près du mur. Quelqu'un venait de commettre un vol dans un magasin du quartier et la police croyait que le voleur s'était enfui par notre cour. Toute ma famille et de nombreux voisins recherchaient frénétiquement des indices pour aider à la capture du criminel. Apeurée, je me tenais à l'écart du groupe. Personne ne semblait me remarquer. Je me sentais prise dans un monde auquel je n'appartenais pas. Avec mes yeux d'enfant de trois ans, tout ce que je voyais était une foule d'adultes ne se souciant aucunement de l'endroit où je pouvais être ni de ce que je pouvais faire.

Inconsciemment, ce jour-là, j'ai pris une décision importante qui a changé à jamais la façon dont je me percevais ainsi que les autres. J'ai décidé que cet incident signifiait que personne ne se souciait de moi. Et comme tout être humain normal, j'ai dû inventer une raison pour expliquer pourquoi personne ne prêtait attention à moi. J'ai pensé que c'était parce que je n'étais pas assez importante pour mériter leur attention. Après tout, si j'avais eu de l'importance, ma famille et ma parenté m'auraient remarquée et auraient tenu compte de mon sentiment d'être seule et délaissée. Bien sûr, j'aurais pu choisir bien d'autres interprétations. Mais une fois ancrée dans mon histoire, je devais opter pour l'explication la plus paralysante que je pouvais trouver. Il n'est donc pas étonnant que l'idée « Personne ne se soucie de moi » soit devenue l'une de mes principales croyances sous-jacentes et le thème central de ma saga personnelle. Plus de trente ans après cet événement, je me souvenais encore de m'être sentie seule et délaissée.

Après avoir entendu cette histoire, les membres du groupe savaient clairement en quoi consistait l'exercice de la soirée. Tous se sont alors concentrés sur la mission de mettre à jour l'histoire de leur vie, celle qui les définit et les garde enfermés dans la capsule de leur réalité propre. Nous avons formé des petits groupes, nous sommes installés en cercles serrés, puis nous avons commencé.

Dans mon groupe, Peter, un homme dans la trentaine et au doux parler, a décidé de prendre la parole en premier. Il nous regardait, aucune émotion sur son visage. Je lui ai demandé de fermer les yeux et de se remémorer un événement de son passé. Peu de temps après, Peter s'est mis à décrire l'époque où il avait six ans. Sa mère était entrée dans sa chambre pendant qu'il était en train de jouer avec son meilleur ami, John, pour les réprimander avec colère parce qu'ils avaient laissé leur bicyclette sur la galerie avant. Peter n'avait pas répondu, ce qui avait fait enrager sa mère davantage. Elle s'était mise à crier et à le taper en le traitant de vaurien et en affirmant qu'elle souhaitait ne jamais l'avoir eu. Peter avait été traumatisé. Il était resté assis là, transi de larmes. Ce jour-là, il avait décidé que les paroles et les gestes de sa mère signifiaient qu'il ne valait rien et ne méritait pas de vivre.

L'humiliation qu'il avait subie se voyait encore sur son visage, vingt-neuf ans plus tard. Sa grande émotion et la clarté de son souvenir révélaient à coup sûr qu'il venait de toucher à l'une de ses principales croyances sous-jacentes : « Je suis un bon à rien. » Tous ensemble, nous avons entrepris de rechercher les façons dont ce thème s'était infiltré dans les autres circonstances de sa vie. En très peu de temps, Peter s'est rappelé bien d'autres anecdotes à propos de sa mère autoritaire et agressive et des manières dont elle avait confirmé sa croyance qu'il était en fait « un vaurien ». Il nous a raconté comment elle l'avait dominé, à quel point il s'était senti impuissant devant elle, incapable de lui faire face, et comment, en conséquence, il n'avait jamais pu se tenir debout devant les femmes qu'il avait connues.

Peter se retrouvait constamment avec des femmes qui lui rappelaient qu'il n'était pas à leur hauteur. Avec peine, il nous a fait part des façons dont les femmes avaient profité de lui et du sentiment d'impuissance qui s'emparait de lui lorsqu'il se trouvait en présence d'une femme qu'il aimait. Peter nous a raconté comment il avait tenté de prouver sa valeur en faisant l'impossible dans ses relations personnelles et comment il s'efforçait de se rendre utile et serviable. Mais, a-t-il ajouté, il semblait toujours échouer. Son histoire confirmait sans cesse que sa mère avait raison et qu'il était vraiment « un bon à rien ».

● ● ●

Elizabeth, une fille timide et l'une des plus jeunes personnes de notre groupe, attendait patiemment son tour et elle n'a pris la parole que lorsque je l'ai invitée à le faire. D'une voix douce, Elizabeth nous a raconté qu'elle était fille unique et que ses parents étaient tous les deux des professionnels très instruits qui avaient toujours eu de grandes attentes envers elle. À la déception de ses parents, Elizabeth ne réussissait pas bien à l'école. Même les meilleurs tuteurs n'avaient pu faire grimper ses notes et, à dix-sept ans, elle avait reçu l'humiliante nouvelle qu'elle n'était pas acceptée à l'université que ses parents avaient choisie pour elle.

Elizabeth avait donné le sens suivant à cet incident : « quelque chose ne va pas chez moi » et cette croyance sous-jacente était devenu le thème central de son histoire. Elle se sentait nulle et s'était résignée à l'idée qu'elle n'accomplirait jamais rien qui vaille. Puisque déjà elle croyait qu'elle n'était pas assez intelligente pour mériter l'approbation de ses parents, elle a décidé de ne pas aller à l'université et a consacré toute son attention à se trouver un mari pour fonder une famille. Cependant, après trois de tentatives pour devenir enceinte, les médecins ont appris à Elizabeth qu'elle ne pouvait concevoir un enfant. Une fois de plus, elle était convaincue que « quelque chose n'allait pas chez elle » et qu'elle décevait son mari autant qu'elle-même.

●　●　●

Les histoires ont défilé les unes après les autres. Plus nous en entendions, plus il nous paraissait évident que chacun d'entre nous vivait selon les croyances sous-jacentes qui constituaient le thème de son histoire. Nous passions notre temps à créer des événements et des situations qui nous donnaient l'occasion de jouer les thèmes de notre drame. Quels qu'étaient le degré de souffrance entourant notre histoire ou le sens que nous choisissions d'accorder aux événements de notre vie, nous avions tous une chose en commun : l'histoire était toujours dramatique, répétitive et très personnelle. Les thèmes principaux, même s'ils différaient quelque peu, étaient une plainte constante : « quelque chose ne va pas chez moi », « je ne suis pas assez bon », « ma vie importe peu ». Le refrain qui revenait sans cesse était : « pauvre de moi, pauvre de moi, pauvre de moi ».

À mesure que se déroulait la soirée, nous avons commencé à identifier les croyances sous-jacentes qui infiltraient toutes nos histoires personnelles. Jusqu'à ce moment, la plupart des personnes présentes avaient tenu ces croyances pour la réalité et non pour ce qu'elles étaient vraiment : des croyances qui nous hantent et qui sont devenues la trame de notre histoire. J'ai expliqué que même si nous avions de nombreuses croyances sous-jacentes, l'une d'elles devient le thème central de notre histoire. Chez Peter, il s'agissait de : « je suis un bon à rien » et chez Elizabeth : « quelque chose ne va pas chez moi ». Au cours des dix dernières années, j'ai guidé des milliers de personnes grâce au processus de l'ombre, un atelier de transformation personnelle de trois jours. Ce faisant, j'ai découvert qu'il existait trois croyances sous-jacentes principales, qui se retrouvent pratiquement chez tous les êtres humains :

Je ne suis pas assez bon ou bonne.

Je ne suis pas important ou importante.

Quelque chose ne va pas chez moi.

J'ai aussi appris qu'il y a d'innombrables variantes de ces croyances. En lisant la liste de croyances sous-jacentes qui suit, voyez si vous pouvez repérer la croyance centrale qui sert de thème à votre histoire.

Personne ne m'aime.
Je ne me sens pas à ma place.
Quelque chose ne va pas chez moi.
Je suis stupide.
Je suis incompétent ou incompétente.
On ne veut pas de moi.
Je ne vaux pas grand-chose.

Je suis une carpette.
Je n'ai rien de spécial.
Je ne mérite pas qu'on fasse attention à moi.
Je ne mérite rien.
Je n'ai pas d'importance.
Je ne suis pas convenable.
Je suis inadéquat ou inadéquate.
Je suis insignifiant ou insignifiante.
Je ne sers à rien.
Ma vie ne vaut rien.
Je suis nul ou nulle.
Je ne suis pas parfait ou parfaite.
Je suis pourri ou pourrie.
Je suis un accident.
Je suis mauvais ou mauvaise.
Je ne suis pas correct ou correcte.
Je suis incomplet ou incomplète.
J'ai des défauts.
Je ne suis pas digne d'amour.
Je suis un échec.
Personne ne se soucie de moi.
Je ne peux faire confiance à personne.

Lorsque nos croyances sous-jacentes sont activées, elles renforcent notre histoire et nous prouvent à quel point nos drames sont « exacts » et « vrais ». Chaque pensée déclenche une réaction émotionnelle dans notre corps et quand nous habitons notre histoire, nous avons accès à un nombre très restreint d'émotions. Voici quelques-uns des sentiments qui résident dans notre histoire : la résignation, le manque, la privation, la rancœur, la victimisation, la solitude, la colère, le blâme, la honte, le désespoir, le chagrin, la tristesse, la peur, la culpabilité, la jalousie, l'envie, le regret, l'apitoiement sur soi et la haine de soi. Chaque personne qui a raconté son histoire ce soir-là a pu constater comment ces émotions l'avaient toujours accompagnée.

Dans l'ambiance rassurante de notre fête en pyjama, chaque personne a pu facilement se rendre compte qu'elle avait choisi de se diminuer. Même si les histoires comportaient certains aspects positifs, dans notre groupe de soixante personnes, bien peu ont affirmé : « Regardez-moi, voyez comme je suis extraordinaire ! » ou « Voyez quel être humain magnifique je suis devenu ! » Très peu d'histoires étaient inspirées par l'amour, la compassion ou la satisfaction. Même si de nombreuses personnes du groupe avaient accompli des choses étonnantes ou étaient bien considérées dans leur domaine, les histoires ne portaient pas tant sur les exploits et la grandeur, que sur la peur d'un enfant qui avait inventé un mensonge à propos de qui il était et de ses capacités. Ce soir-là, ont émergé tous nos désespoirs et toutes nos pertes, tout ce qui nous manquait dans notre vie. Chacun de nous livrait un message constant : « si seulement ». « Si seulement mes parents, mes amoureux, mon corps, mon esprit ou ma chance avaient été différents » ou « Si seulement j'avais fait de bonnes études ou si ma famille m'avait encouragé davantage, je serais la personne que je désire être. » Nous avons tous pu constater que nous avions abandonné notre grandeur et notre pouvoir dans certains domaines de notre vie afin de demeurer enfermés dans notre histoire.

Nous avons tous pu voir des champs particuliers de notre vie où notre drame s'était manifesté. Certaines des histoires se déroulaient dans le monde du travail, d'autres portaient sur les relations, la famille ou l'argent. Quelques-unes se jouaient sur le plan des émotions ou du physique. Souvent, elles touchaient deux ou trois domaines différents. Mais en ce soir glorieux, nous avons compris qu'à une époque de notre vie, nous étions sortis du monde des possibilités infinies pour nous confiner dans celui de notre réalité limitée et qu'à ce moment, nos problèmes avaient surgi et nos limites avaient été établies.

De nombreuses personnes ont pu cerner l'histoire qu'elles avaient inventée durant leur enfance, mais ont trouvé difficile de voir son impact sur leur vie actuelle. Quelques-unes ont affirmé que leur vie ne comportait aucun drame. Le fait de n'avoir aucune histoire, aucun drame constituait leur histoire. Donna, une psychologue, a dit qu'elle menait une vie très heureuse. Elle avait deux enfants et une clientèle nombreuse et elle se demandait si toute cette idée d'histoire s'appliquait à son cas. Je l'ai invité à me parler de sa vie. Elle m'a répondu : « J'ai des parents merveilleux, j'ai eu une belle enfance et tout va bien. En réalité, j'ai toujours été la personne forte de la famille, celle que tous appellent quand quelque chose ne va pas. J'ai toujours représenté le bon sens. » À cet instant, nos yeux se sont rencontrés et Donna a entendu ses propres mots. C'étaient plus ou moins les mêmes mots qu'elle avait répétés des milliers de fois auparavant pour décrire sa vie. Ils étaient sortis de sa bouche automatiquement. Étonnée, Donna a réalisé qu'elle venait tout juste de découvrir par inadvertance le thème de son histoire : tout va bien. Quoi qu'il arrivait dans sa vie, elle accrochait toujours un sourire à son visage, affrontait les événements et se convainquait que tout était parfait.

Il est important de remarquer que toute les histoires ne sont pas tristes, traumatisantes ou douloureuses. Certaines ont pour thème « tout va à merveille ». Cependant, même ces histoires « heureuses » finissent par s'épuiser et portent en elles de grandes limites. Pour Donna, vivre à l'intérieur de la croyance que « tout allait bien » l'empêchait de prendre des risques qui auraient pu l'amener à s'apercevoir que la vie n'était pas toujours parfaite. Son histoire la maintenait piégée à l'intérieur d'une réalité sécurisante mais limitée. Même si elle vivait dans l'illusion du bonheur, elle avait sacrifié son côté énergique, aventureux et extravagant. Et cela l'empêchait d'examiner ses désirs les plus profonds.

ENTENDRE LE CHANT DE VOTRE HISTOIRE

« Comment pouvons-nous nous apercevoir que nous vivons dans notre histoire ? » « Comment pouvons-nous les capter ? » Tous voulaient une réponse à ces questions. Un moyen sûr de déterminer si nous vivons dans notre histoire consiste à examiner la qualité de nos pensées et le dialogue intérieur auquel nous participons chaque jour. De nombreuses personnes passent la majorité du temps ailleurs qu'à l'endroit où elles se trouvent dans le présent. Quand elles sont au travail, elles pensent à la maison. Quand elles sont à la maison, elles pensent à aller en vacances. Quand elles vont au parc avec leurs enfants, elle pensent à écouter leur émission de télé préférée. Leur corps est présent, mais leur esprit est ailleurs. Je sais que j'ai passé les trente premières années de ma vie à côté d'où j'étais en réalité. Je vivais selon les fantasmes qui m'habitaient, rêvant de ce qui pourrait me faire sentir mieux, toujours en train d'essayer de donner une tournure plus heureuse aux aspects de ma vie qui n'allaient vraiment pas bien. J'ai passé au moins vingt ans à rêver de mon homme idéal et à me répéter que j'allais vivre le parfait bonheur lorsque je le rencontrerais.

La projection dans l'avenir est un signe évident que nous sommes plongés dans notre histoire. Lorsque je ne rêvais pas de l'avenir, je pensais au passé. Tout ce qui n'avait pas fonctionné, tout ce qui aurait dû se passer autrement. Je pouvais passer une semaine à revivre une dispute survenue dans une épicerie à propos de ma place dans la file d'attente. Lorsque nous sommes dans notre histoire, nos pensées varient d'effrayantes et morbides — par exemple, craindre un accident ou une tragédie improbables — à banales et absurdes, par exemple, devenir obsédé par un bouton sur notre chandail ou par le chien des voisins qui fait ses besoins sur notre pelouse.

Lorsque nous sommes dans notre histoire, nos pensées se manifestent à répétition. S'il nous arrive de nous dire : « j'aimerais vivre une merveilleuse relation », cette pensée nous obsède. Nous pensons : « J'espère qu'il viendra bientôt. J'espère qu'il n'a pas déjà été marié. J'espère qu'il est aimable et attentif et qu'il m'achètera une bague. J'espère qu'il ne rote pas et qu'il ne salit pas la salle de bain. » Peut-être rêvons-nous de nous retrouver sur une plage à Hawaii, de paraître à notre mieux depuis dix ans et d'avoir une vie sexuelle aussi satisfaisante que passionnée. Puis, nous pensons : « J'espère qu'il ne me blessera pas. J'espère qu'il n'est pas menteur. » Nous repensons à notre lamentable dernière relation et nous voilà envahis par l'idée d'avoir été gravement trompés et le sentiment que nous serions plus heureux si nous ne nous étions pas engagés avec cette personne. À l'intérieur de notre histoire, les mêmes pensées reviennent continuellement : l'avenir, le passé, l'avenir, le passé, l'avenir, le passé, l'avenir, le passé... Cela ne s'arrête jamais. Parfois, vivre dans l'étroitesse de notre histoire personnelle est si souffrant que d'imaginer l'avenir ou de revivre le passé est pour notre esprit le seul moyen de supporter la douleur.

PRENDRE CONSCIENCE DE VOTRE RADIO INVISIBLE

Tout notre dialogue intérieur se déroule à l'intérieur de ce que j'appelle une radio invisible, un appareil qui renferme notre incessant discours mental. Pensez à une mini-chaîne stéréo tonitruante qui dérange votre tranquillité à la plage et placez-la dans votre tête pour vous donner une idée du bruit infernal qu'émet votre radio invisible. Votre radio invisible contient toute pensée que vous avez supprimée — tous vos discernements, toutes vos idées justes, toutes vos blessures psychologiques non guéries et toutes vos croyances sous-jacentes. Votre dialogue intérieur négatif s'apparente à une indigestion psychique. Tant que vous n'aurez pas digéré toutes les pensées et tous les sentiments inconscients qui habitent votre psyché, vous vivrez dans le bruit et l'inconfort de votre radio invisible. Arrêtez-vous un instant pour écouter vos pensées. Portez maintenant votre attention sur un projet que vous n'accomplissez jamais ou sur une relation qui ne fonctionne pas. Puis, écoutez à nouveau vos pensées. Vous devriez maintenant savoir ce qu'est votre radio invisible.

Notre radio invisible fait partie de notre histoire et nous suit partout. Elle nous murmure constamment tous nos défauts, toutes nos déceptions et tous nos imperfections. Elle nous révèle ce que nous pensons vraiment de nous-mêmes quand nous vivons dans notre histoire. Tandis que notre intuition cherche désespérément à capter notre attention, souvent nous nous tournons vers notre radio invisible, cette voix familière qui prend plaisir à nous rappeler nos échecs, nos imperfections et les limites que nous nous imposons à nous-mêmes.

Il y a quelques années, j'ai donné une conférence devant une centaine de personnes dans la salle de réception d'un grand hôtel. Au début, tout le monde était confortablement dispersé dans la pièce. Soudain, l'alarme d'incendie a sonné. Dans l'interphone, une voix forte a transmis à plusieurs reprises le message enregistré suivant : « Ici le chef du service des incendies. L'alarme d'incendie s'est déclenchée. Veuillez immédiatement sortir par la sortie de secours la plus près de vous. Ce message sera répété jusqu'à ce que l'édifice ait été complètement évacué. » Puisque l'alarme s'était déclenchée trois fois ce jour-là, personne ne s'inquiétait. La salle de réception se trouvait au rez-de-chaussée et nous étions tous certains de pouvoir nous sauver si jamais il s'agissait vraiment d'un incendie.

À ce stade, il ne nous restait que quarante minutes à passer ensemble et nous avons décidé de nous rassembler d'un côté de la salle de façon à pouvoir nous entendre parler et que je puisse terminer la conférence. Puisque le message était diffusé sans cesse, je devais élever la voix afin que tous puissent m'entendre. Même si ce que je disais les intéressait davantage que le message répétitif, la distraction était tout de même inévitable. Puis, il m'est apparu que cet enregistrement illustrait parfaitement notre infernal dialogue intérieur. Je leur ai donc demandé : « Qui parmi vous choisirait d'écouter ce message toute la journée, pour le restant de ses jours? Qui parmi vous se procurerait une radio qui répéterait ce message pendant que vous travaillez, au cours d'un rendez-vous galant ou quand vous regardez un film ? Y a-t-il quelqu'un parmi vous qui achèterait délibérément une telle radio et la transporterait partout ? » Évidemment, personne n'a répondu.

Je gardai le silence quelques minutes pour que mon auditoire puisse entendre une fois de plus la répétition du message si important. Je les ai ensuite regardés intensément dans les yeux avant de leur poser la question suivante : « Combien d'entre vous passent plus d'une heure par jour à écouter le bavardage qui se déroule dans leur tête ? » Tous étaient bien attentifs à tenter de capter ce que je disais. Tous ont réalisé qu'ils gaspillaient une bonne partie de leur précieuse énergie à écouter un enregistrement répétitif qui jouait dans leur esprit, disant des choses telles que : « Ce n'était pas très intéressant. Ce n'était pas très intelligent. Tu n'aurais pas dû dire cela. De quoi parle-t-elle ? Pourquoi quelqu'un n'arrête-t-il pas cet enregistre-ment ? » Ou encore : « Je n'ai pas dépensé tout cet argent pour assister à une conférence où je dois écouter une alarme toute la journée. J'aimerais qu'elle en arrive à la conclusion. » Ou peut-être qu'en vous éveillant à côté de votre mari, vous entendez dans votre esprit : « Pourquoi ne se brosse-t-il pas les dents après avoir bu son café ? Si seulement il gagnait plus d'argent, je n'aurais pas besoin de travailler si fort. » Votre radio invisible vous lance-t-elle des phrases semblables : « Personne ne se soucie de ce que je pense. Je suis tellement seul. Personne ne veut être mon ami. » Peut-être n'avez-vous pas terminé un projet à temps et votre radio invisible vous rappelle gentiment : « Regarde ce que tu as fait ! Tu as vraiment fait échouer le projet. Tu es comme ton père. » Et ce qui est le plus désolant, c'est que peu importe le nombre de fois que vous avez entendu ce message auparavant, vous l'écoutez encore. Vous écoutez constamment le même message et le croyez fermement.

Combien d'entre vous ont consacré des milliers d'heures à l'écoute de cette radio invisible dans leur esprit ? Peut-être vous êtes-vous même empêché d'assister à une fête ou de vous amuser de quelque autre façon, de manière à pouvoir rester à la maison pour écouter cette radio. Certains d'entre vous ont cessé la recherche d'un meilleur emploi ou la poursuite de leurs études, en appuyant leur décision uniquement sur ce qu'ils avaient entendu à la charmante radio invisible. Quelqu'un a suggéré que j'invente une nouvelle radio invisible : pour la somme de 14,95 $, je pourrais programmer votre dialogue intérieur de façon que vous n'ayez pas à vous le répéter chaque jour. Vous pourriez l'apportez avec vous en tout temps. Ce pourrait aussi être un réveille-matin parlant qui, tous les matins, vous dirait : « Bonjour ! Comme tu as l'air moche aujourd'hui. » Cette radio invisible vous dirait : « Il ne vous arrivera rien d'intéressant. Vous n'avez pas ce qu'il faut. Vous devez vous accommoder de votre réalité actuelle. Ce n'est donc pas la peine de vous lever aujourd'hui, puisque personne ne vous remarquera. » Peut-être êtes-vous sur le point d'obtenir une augmentation de salaire, mais votre radio invisible vous crie : « Votre salaire ne sera jamais augmenté. Ce n'est pas juste. Vous n'êtes pas vraiment apprécié. La vie est dure. Vous ne connaissez rien. Vous êtes perdant. Vous ne réussirez jamais. » Ou encore ceci : « Pauvre de moi, pourquoi ne m'accorde-t-on pas une chance ? Peut-être vais-je gagner à la loterie, cette semaine ? Cela me rendrait heureux. » Ou encore, lorsque vous avez le vent dans les voiles, votre aimable compagnon pourrait vous claironner : « Si vous remportez trop de succès, les gens vont vous détester. Vous ne pouvez réussir sur tous les plans. »

Je considérais cette expérience de l'alarme d'incendie comme une chance, parce que la plupart des gens ne comprennent jamais que leur dialogue intérieur est comme un enregistrement de mauvaise qualité qui rejoue continuellement, qu'ils écoutent de manière inconsciente et sans aucun regard critique. La plupart d'entre nous choisissons d'écouter cette voix chaque jour. La plupart d'entre nous l'écoutons si attentivement que nous ne pouvons entendre ce que racontent les autres personnes autour de nous. La radio invisible parle avec assurance et lorsque nous commençons à ne plus y prêter attention, elle nous rappelle à l'ordre : « Écoutez. C'est important. Personne ne vous aime. En effet, vous n'êtes pas aimé. » Ou encore : « Vous ne réussirez jamais rien. Vous êtes vraiment vaincu d'avance. » Voilà comment votre radio invisible vous envahit. Chaque fois que vous donnez raison aux propos de votre radio invisible, vous prenez votre histoire pour la réalité.

Pour comprendre la nature répétitive de votre radio invisible, vous pouvez enregistrer votre dialogue intérieur pendant environ un mois. Vous pourrez alors y revenir et constater que vous avez déjà entendu ce discours : « Le 4 février 1999, j'ai affirmé telle chose, puis je l'ai répétée le 14 avril et en juin, puis en septembre... Cette année, je l'ai entendue quarante-deux fois, l'année passée, soixante-quatre fois... » Selon vous, combien d'heures par jour passez-vous à écouter cette radio invisible, à analyser et à ressasser ses propos ? C'est un véritable labyrinthe. Vous croyez qu'une belle surprise vous attend au bout du tunnel. Vous croyez que si vous l'écoutez assez longtemps, vous serez récompensé. Voilà l'énorme mensonge. Même si vous l'écoutez très longtemps, il n'y a pas de belle surprise au bout du tunnel et vous n'obtenez pas de récompense. Cependant, votre radio invisible peut également agir comme une alarme. Une alarme qui vous dit : « Ceci est un enregistrement. Vous vivez à l'intérieur d'une histoire intitulée Vous. Si vous désirez arrêter cette alarme, vous devez faire un grand saut pour sortir de votre histoire. Une fois à l'extérieur, cet enregistrement cessera de jouer immédiatement. Merci d'être à l'écoute. Passez une belle journée. »

Quand l'alarme de l'hôtel a cessé de sonner, nous avons bien rigolé de nos radios cachées qui, maintenant, avaient été retirées de l'ombre de notre conscience et étalées comme un immense buffet que tout le groupe pouvait admirer. Tous ont pu se rendre compte à quel point ils protégeaient leur radio invisible, comme si d'exposer leur bavardage négatif constituait une énorme trahison. La plupart ont pu voir qu'ils considéraient leur discours intérieur comme quelque chose d'unique et de spécial. Personne n'osait admettre que le message de sa radio invisible ressemblait à celui qui était diffusé chez les autres. Pratiquement tous avaient passé une bonne partie de leur vie à tenter d'éteindre leur radio invisible et personne n'y était parvenu. Nous avions tous tenté de la calmer, de marchander avec elle et de la manipuler. Certains avaient essayé de la détruire. Tout avait été tenté pour qu'elle se taise et nous laisse enfin vivre librement, pour que nous puissions enfin nous échapper de notre éternelle histoire si prévisible.

Il est fort probable que vous vous soyez aussi efforcé au fil des années à modifier, à retravailler, à corriger, à ajuster et à arranger votre histoire, ignorant qu'un autre choix s'offrait à vous. Mon objectif est de vous présenter cet autre choix, un choix fondé sur la compréhension que vous n'êtes pas votre histoire. Je veux vous faire voir que même si vous avez plusieurs histoires, plusieurs croyances sous-jacentes de même qu'une radio invisible très bavarde, elles sont toutes porteuses de dons magnifiques — des dons conçus pour vous propulser à l'extérieur de votre histoire et vous aider à exprimer le meilleur de vous-même. Elles existent pour que vous en retiriez un enseignement qui vous servira à offrir votre contribution personnelle au monde. Je vous assure que la vie que vous cherchez se trouve au-delà de ce que vous connaissez déjà et bien au-delà des limites de votre histoire.

ACTIONS REQUISES POUR LA GUÉRISON

1. Rédigez l'histoire de votre vie en incluant tous les détails dramatiques. Mettez l'accent sur ce qui n'a pas réussi, sur ce qui aurait pu ou dû fonctionner, sur ce qui aurait pu être mieux. Accordez-vous le droit d'être tout à fait honnête tant à l'égard de vos échecs, de vos pertes, de vos déceptions et de vos regrets, que de vos espoirs, de vos désirs et de vos rêves. Exprimez les pensées, les sentiments et les croyances qui font partie de votre histoire.

2. En relisant votre histoire, voyez si un thème particulier émerge. Y a-t-il un modèle intrinsèque qui s'est manifesté à répétition au cours des événements de votre vie ? Vous arrive-t-il souvent de vous sentir seul, abandonné, trahi, de penser qu'on vous a manqué de respect, qu'on vous a ignoré ou qu'on a profité de vous ? Quel est le thème central de votre histoire qui débute par « pauvre de moi » ?

3. Pour mettre au jour les croyances sous-jacentes qui guident votre histoire, dressez une liste des conclusions auxquelles vous êtes parvenu à partir des circonstances de votre vie et précisez le sens que vous leur avez donné. Relisez l'histoire que vous avez écrite à la première étape ci-dessus et, en réfléchissant à chacun des événements importants de votre vie, posez-vous la question suivante : « Qu'ai-je décidé que cet événement révélait à mon sujet ? » Vous pouvez aussi vous reporter à la liste de croyances sous-jacentes présentée dans ce chapitre. Voyez si vous pouvez repérer vos trois principales croyances sous-jacentes. Cela vous aidera à cerner le thème de votre histoire.

4. Consacrez quelques pages de votre journal au discours intérieur répétitif que diffuse votre radio invisible. Remarquez, sans la juger, la conversation de votre histoire.

Contemplation

« Voici une vérité profonde : je
possède une histoire, mais je ne
suis pas cette histoire. »

Chapitre 4

POURQUOI VOUS TENEZ TANT À VOTRE HISTOIRE

Notre peur du changement, des nouvelles réalités, est ancrée si profondément que nous nous accrochons désespérément au monde que nous connaissons. Nous prenons souvent ce qui est connu pour de la sécurité. Le soi-disant confort que nous retirons de ce qui nous est familier nous garde prisonniers de l'illusion de notre histoire. Toutefois, nous devrions réfléchir à la question suivante : sommes-nous vraiment en sécurité dans notre histoire ? Plutôt que de risquer le changement, nous nous accrochons au connu et résistons à l'incertitude de l'inconnu. J'ai déjà lu un récit à propos d'une femme qui traversait un lac en nageant avec une pierre dans une main. À mi-chemin, elle a commencé à s'enfoncer à cause du poids de la pierre. « Laissez tomber la pierre », lui ont crié des gens qui se tenaient sur la rive. Mais la femme a continué de nager, disparaissant sous l'eau de temps à autre. « Laissez tomber la pierre », ont crié encore plus fort les badauds. La femme se trouvait au milieu du lac et s'enfonçait maintenant de plus en plus souvent. Une fois encore, les spectateurs ont hurlé : « Laissez tomber la pierre. » Avant qu'elle disparaisse sous l'eau pour la dernière fois, ils l'ont entendue dire : « Je ne peux pas. Elle m'appartient. »

La plupart d'entre nous avons passé trop de temps à refuser nos drames au lieu de rechercher la sagesse que contient chacune des caractéristiques, des croyances et des situations dont nous ne voulons pas. Cette résistance nous enferme à l'intérieur de la douleur émotionnelle d'une situation. Elle nous piège dans la réalité que nous désirons le plus changer. Le refus vient de notre désir que soient différentes les circonstances de notre présent. Même le plus infime désir que la situation change peut créer une grande résistance intérieure. Que nous refusions notre histoire en totalité ou en partie, la résistance nous déséquilibre intérieurement. Elle agit comme de la colle et nous rattache aux sentiments et aux croyances mêmes dont nous voulons nous libérer. Même si cela peut nous sembler un recul, le premier geste à accomplir en vue de la guérison est d'accepter tout ce à quoi nous avons résisté. Au cours des sept dernières années, dans plus de cinquante villes, j'ai répété les mots : « Les choses à quoi vous résistez persistent. » Si vous prenez au sérieux le sens de cette phrase, vous aurez le pouvoir d'apporter des changements sains et durables dans tous les secteurs de votre vie. Même si j'enseigne continuellement aux gens à accepter tout ce qu'ils sont, la plupart d'entre eux tiennent à refuser ou à détester certains aspects de leur vie. Peu importe le domaine où la résistance se manifeste — le corps, les relations, les parents ou l'argent — elle contrecarre la guérison. Ainsi, si vous décidez de refuser un aspect de votre vie — en le détestant ou le jugeant — vous pouvez être sûr qu'il demeurera présent.

La résistance nous empêche de ressentir la tranquillité intérieure et l'heureux dénouement que nous désirons tant. C'est à cause d'elle que nous restons les mêmes. La résistance au dépassement et à l'évolution entraîne nos comportements répétitifs. La résistance à ce qui existe gobe notre énergie vitale et bloque le déroulement naturel de notre évolution.

LE PRIX DE LA RÉSISTANCE

Notre résistance est déclenchée chaque fois que nous-mêmes, les autres ou le monde, nous paraissent inappropriés. La croyance interne qui établit notre résistance nous dit : « cela ne devrait pas être ainsi ». Nous dépensons alors toute notre énergie à tenter de changer notre réalité. Quand je donne des conférences, j'aime bien demander aux gens : « Combien parmi vous ont passé plus d'un millier d'heures à essayer de changer les personnes autour de votre entourage, les événements de votre passé ou une caractéristique de vous-même que vous détestez — que ce soit votre peur, votre égoïsme, votre embonpoint ou votre compte en banque ? » Tout le monde, vraiment tout le monde, lève sa main. La plupart d'entre nous croyons qu'en résistant suffisamment longtemps ou avec assez de force aux situations de notre vie dont nous ne voulons pas, elles disparaîtront. Je peux vous assurer avec une certitude absolue qu'il est impossible de faire disparaître ce qui existe par la résistance. Cela peut même vous enfoncer encore davantage dans le déni et dans votre histoire, mais cela ne modifiera jamais ce qui vous est arrivé à l'âge de trois ans, pas plus que cela ne vous fera perdre dix kilos ou aimer votre ancien mari.

Lorsque j'ai appris le karaté, mon professeur m'a enseigné que parfois la meilleure façon de se tirer d'une situation compromettante était de simplement lâcher prise. Par exemple, si un agresseur attrape mon bras, au lieu de tendre les muscles et de tirer, je dois m'avancer vers mon adversaire et détendre mon membre complètement. En essayant de m'extraire de mon agresseur, je déclencherais une réaction naturelle chez lui, qui tenterait alors de me serrer encore plus fort. Ainsi, afin de m'échapper, je dois d'abord me soumettre à lui. Lorsque j'accepte la situation et que je me détends, la prise de mon adversaire se desserre naturellement, me donnant ainsi la chance de me libérer. Notre réaction première est toujours de résister à une menace perçue. Mais ce n'est qu'en respirant à fond, en nous relaxant et en vivant l'expérience, que nous pouvons accéder à notre pouvoir et à notre force.

Afin de dépasser notre souffrance, nous devons aller à l'encontre de notre instinct qui nous dicte de résister et, à la place, prendre la voie du lâcher prise. Tout ce que nous voulons changer, tout ce qui nous apeure, tout ce qui nous rend en colère, tout ce que nous ne voulons pas accepter, nous retient dans le passé, dans notre histoire et dans les croyances sous-jacentes qui maintiennent cette dernière. L'abandon à la réalité exige que nous adoucissions notre cœur, laissions tomber les attentes issues de notre histoire et acceptions tout ce que la vie nous apporte. S'abandonner à tous les ingrédients qui constituent notre vie nous invite à écouter avec des oreilles innocentes le message plus profond de notre douleur au lieu de nous arrêter aux conclusions familières qu'émet notre radio invisible. Ce n'est que lorsque nous admettons que nous nous raccrochons au confort de notre histoire, que nous pouvons diminuer notre résistance et acquérir la sagesse que nous offrent nos expériences. Ce n'est qu'en décidant que notre histoire sert à nous aimer et non à nous rabaisser, que nous devenons libres de l'utiliser comme il se doit. Je vous promets qu'en lâchant prise, en démissionnant de votre poste de directeur général de l'univers, en délaissant votre rôle de vedette de votre histoire, votre vie deviendra plus facile et vous serez en mesure d'entendre l'appel profond de votre âme.

PERSONNE NE VIENDRA

Il n'y a pas de meilleur moment que maintenant pour entreprendre le processus qui consiste à prendre votre histoire pour ce qu'elle est, avec toutes ses limites et ses promesses. Personne ne peut le faire à votre place. Personne ne viendra vous sauver. En ce qui me concerne, le vent a tourné lorsque j'ai pris conscience de cette troublante réalité. Pendant des années, je me suis efforcée d'améliorer ma vie. J'ai travaillé fort pour changer les circonstances de ma vie et jamais je ne semblais parvenir aux résultats désirés. Puis, un jour, assise sur le plancher de la salle de bain de mon appartement, à m'apitoyer sur moi-même, une lumière s'est allumée et j'ai fait une prise de conscience qui a changé ma vie : personne n'allait venir. Je pouvais continuer à souffrir, à me fatiguer en tentant de rendre mon histoire belle, amusante et facile comme j'en rêvais, ou je pouvais me relever, grandir et affronter le fait que personne ne viendrait me sauver. Dans un moment de grâce, j'ai compris que toute ma vie j'avais attendu que ma mère, mon père, ou l'homme de mes rêves, vienne me chercher et me dise que j'étais parfaite, que ma vie était parfaite, que je pouvais avoir tout ce que je désirais, et me promette qu'à partir de maintenant nous allions vivre un conte de fée.

Inconsciemment, la plupart d'entre nous attendons que quelqu'un ou quelque chose vienne à notre secours. Mais je suis ici pour vous dire que personne ne viendra — ni votre mère, ni votre père, ni un prince sur un cheval blanc. Même si nous croyons qu'en faisant preuve de patience, quelqu'un finira par venir nous sauver, la triste vérité demeure que personne ne peut vivre notre vie à notre place. En étant assez braves pour abandonner l'espoir que quelqu'un vienne nous sauver, nous faisons un pas important vers la prise en main de notre vie et de notre bonheur.

ACCEPTER LE DÉSESPOIR

Nous passons tous beaucoup de temps à nous leurrer en pensant « qu'un jour, nos rêves seront réalisés » et à cultiver l'espoir que notre vie va s'améliorer. L'espoir est nécessaire dans les moments de grande détresse, mais il est important de faire la distinction entre l'espoir authentique et les illusions. Il nous arrive parfois de nous faire croire que nous accomplissons quelque chose quand rien ne se passe vraiment. L'espoir, la pensée positive et les fantaisies agréables peuvent facilement se changer en déni de la réalité. Il y a quelques années, je vivais une relation amoureuse très stressante. J'ai passé énormément de temps à espérer que la situation s'améliore. Ce genre d'espoir m'a empêchée de me responsabiliser face à mes sentiments et de régler le problème auquel je me heurtais. Au lieu de consacrer mon temps à considérer mes options et à tirer des leçons de cette situation, je passais des heures à rêver en couleur, à souhaiter qu'un jour, par miracle, tout rentrerait dans l'ordre. Au lieu de me concentrer sur la réalité et d'expérimenter la douleur en reconnaissant qu'une fois de plus ma relation était un échec, j'ai sombré dans le déni. J'ai menti — à moi-même et aux autres. Mon espoir m'avait mis des œillères et des bouchons d'oreilles, qui n'ont finalement servi qu'à retarder l'inévitable. La réalité est souvent douloureuse. Cependant, il y a un paradoxe ironique : c'est en acceptant d'abandonner l'espoir que nous pouvons changer, arranger ou modifier notre histoire, c'est en acceptant de lâcher prise et de sentir le désespoir de ne plus savoir qui nous sommes, que nous retrouvons l'espoir.

Très souvent, au cours de ma pratique d'aidante, j'ai vu des gens qui préféraient se raccrocher à un grain d'espoir plutôt que de faire face à la réalité. Notre peur d'affronter la perte ou la souffrance nous tient piégés dans notre histoire et nous maintient dans la répétition. Certaines personnes trouvent leur dose d'espoir dans les livres, les enregistrements et les conférences. Cette forme d'inspiration peut parfois s'avérer utile, mais si nous nous en servons pour légitimer notre situation actuelle, elle ne devient qu'une autre page de notre histoire. Il y a quelques années, j'ai aidé une femme nommée Margaret qui, au premier abord semblait très heureuse. Margaret était riche et fréquentait les stations thermales et les centres de santé partout dans le monde. Elle avait les moyens de s'offrir les meilleurs conseils possibles. Selon ses propres dires, elle était une adepte de l'autothérapie et elle se promenait d'un atelier à l'autre avec l'espoir qu'en passant du temps avec des gens qu'elle considérait comme importants, elle obtiendrait la reconnaissance qu'elle désirait tant. Mais à l'intérieur d'elle-même, marquée par l'insécurité, elle avait l'impression qu'on ne la remarquait pas et qu'elle n'était pas importante. Tout incident apparemment insignifiant, par exemple une personne qui ne retournait pas son appel, l'obsédait des jours durant. Margaret passait presque toute son énergie à rechercher quelque chose qui lui apporterait un sentiment d'appartenance.

À notre troisième rencontre, j'ai remarqué que Margaret semblait s'affaiblir. Son corps se dégradait et elle paraissait plus délirante et plus craintive. Je lui ai suggéré de se détacher de tous les groupes et de toutes les personnes auxquels elle s'était accrochée dans l'espoir de se sentir acceptée un jour. Sachant qu'elle ne trouverait qu'en elle-même ce qu'elle cherchait, je lui ai proposé de mettre fin à sa manie d'autothérapie et de se concentrer sur elle-même. Mais elle en était incapable. Elle avait trop peur de la solitude et de se retrouver sans les distractions qui lui offraient la promesse de la reconnaissance et de l'appartenance. Elle a continué de se comporter de la même manière, se raccrochant à l'espoir qu'un jour elle réussirait.

Margaret lisait quantité de livres à la recherche d'une philosophie qui justifierait ses actions, tout en lui fournissant la preuve qu'elle faisait bien de rester la même. Chaque fois que je lui faisais voir ses structures autodestructrices, elle me citait un passage du dernier livre qu'elle avait lu : « Debbie, dans le livre que je viens de lire, l'auteur affirme que nous faisons tous notre possible. Je fais mon possible, moi aussi. » Margaret se montrait très créative pour trouver des moyens de justifier son comportement. Une fois, elle m'a raconté qu'elle avait été maltraitée et agressée verbalement par sa famille. Quand je lui ai demandé ce qu'elle voulait faire de cette réalité, elle m'a répondu : « Tout est parfait comme ça. » Margaret a ainsi poursuivi sa douloureuse quête, rassemblant les affirmations prometteuses d'espoir. Elle était davantage préoccupée par la justification que par l'exploration des questions fondamentales qui la hantaient.

Je lui ai donc demandé de dresser la liste des citations et messages inspirateurs qu'elle utilisait afin d'éviter de faire face à la réalité. Elle avait lu tous les guides d'autothérapie à succès et assisté à tous les ateliers qui offraient une promesse de bonheur. Dans sa quête, elle avait amassé une collection impressionnante d'aphorismes qui l'empêchaient de sentir le désespoir de sa situation. Voici quelques-unes des perles de sagesse auxquelles elle recourait pour alimenter son espoir : « Il fait toujours plus sombre juste avant l'aube. » « Ce qui ne me tue pas me renforce. » « Pas de progrès sans peine. » « Il existe une raison pour tout ce qui arrive. » « Dieu me donne uniquement ce que je peux supporter. » « C'est une étape à passer. » « Les miracles existent. » « L'univers travaille en moi. » « Lâche prise et laisse agir Dieu. » « Ce n'est qu'une illusion. » « Cela va passer. » « Il y a toujours quelqu'un de pire que soi. » « Manifeste toujours une attitude de reconnaissance. » « Fais ce que tu aimes, l'argent suivra. » « Tout se résout toujours pour le mieux. » « Ce qui arrive existe, ce qui n'arrive pas n'existe pas. » « Tout nuage est bordé d'argent. » « La joie est dans l'aventure elle-même. » « L'or est extrait de la noirceur. » « Le temps guérit toutes les blessures. » « Aujourd'hui, c'est le premier jour du reste de ma vie. »

Toute cette sagesse qu'avait accumulée Margaret durant des années faisait maintenant partie de son histoire. Une autre tentative qui échoue ! Même si cela fait trois ans qu'elle ne me consulte plus, lorsque je rencontre Margaret par hasard en ville, elle me fournit encore des raisons toutes faites pour expliquer pourquoi elle ne va pas bien et ne progresse pas. Parce qu'elle ne veut pas regarder en face les problèmes sous-jacents qui la gardent prisonnière de certaines personnes et certains groupes, elle reste prise dans la structure répétitive qu'elle connaît si bien. Elle s'est convaincue que Dieu veut sa vie ainsi et que si l'univers lui avait prévu un autre destin, d'une manière ou d'une autre, comme par magie, il se produirait. Au lieu de faire une introspection et de se demander : « Y a-t-il quelque chose en moi qui fait que les mêmes événements se reproduisent inlassablement ? » Margaret continue de s'accrocher avec acharnement à l'espoir, laissant tout son entourage baigner dans le désespoir de sa vie.

Je vous ai raconté l'histoire de Margaret en guise d'avertissement. Si vous êtes depuis plus d'un an pris dans une situation fâcheuse ou une relation insatisfaisante, ne laissez pas votre histoire vous leurrer avec l'idée que « tout finira par s'arranger ». Après tout, cette idée n'est qu'une histoire de plus.

LA GRANDE TENTATIVE

Bon nombre d'entre nous sommes tombés dans le piège sans fin qui consiste à vouloir arranger notre histoire. Certains d'entre nous ont passé de nombreuses années et beaucoup trop d'énergie à reconstituer l'intrigue ou à redéfinir les personnages de notre drame personnel, en espérant ainsi changer notre vie et faire taire notre radio invisible. Mais quels que soient les efforts que nous déployons, nous échouons sans cesse en raison des limites qu'entretient notre histoire. Quelques améliorations mineures nous donnent meilleure apparence et nous aident à nous sentir mieux, mais ces moments de joie sont de courte durée. À moins de prendre consciemment la décision de sortir des limites de notre histoire, le sentiment temporaire de liberté que nous ressentons après avoir lu un livre inspirant ou écouté une cassette de motivation sera vite remplacé par le désespoir. Jusqu'à ce que nous comprenions que la racine de notre problème réside dans la croyance erronée que nous sommes notre histoire, même la meilleure aide qui soit échouera.

Récemment, j'ai rencontré une jolie jeune femme qui suivait l'un de mes cours. J'ai immédiatement remarqué la démarche sautillante et la personnalité enthousiaste de Caroline. Chaque fois que nous faisons une pause, elle venait vers moi, attendait d'obtenir mon attention et me faisait un large sourire. Au cours de la deuxième journée, le sourire de Caroline s'est peu à peu estompé et a fait place à un air de tristesse, de peur et de désespoir. Finalement, elle m'a approchée pour me demander si je pouvais lui accorder cinq minutes. Elle m'a demandé si je croyais que cet atelier pouvait vraiment l'aider, puis elle s'est mise à sangloter en me mentionnant toutes les approches qu'elle avait essayées en vue de trouver une paix durable. Elle avait tenté de garder une attitude positive et quand cela avait échoué, elle était allée en thérapie. Elle avait assisté à de nombreux ateliers de croissance personnelle, lu des milliers de livres d'autothérapie et écouté d'innombrables cassettes de motivation. Maintenant, elle était dévastée car, après toutes les années qu'elle avait passées à essayer de se guérir, elle ressentait encore une énorme tristesse juste au-dessous de la surface de sa conscience.

J'ai invité Caroline à fermer les yeux et à me décrire l'incident le plus douloureux de sa vie. Elle m'a raconté que lorsqu'elle avait cinq ans, son père était arrivé à la maison, avait pris son frère aîné, puis était parti. Caroline n'avait revu ni l'un ni l'autre pendant dix ans. Je lui ai demandé comment elle avait traité la douleur de ce trauma. Sa mère l'avait incitée à penser de façon positive et à garder le sourire. À l'âge de quinze ans, Caroline souffrait tellement qu'elle s'était mise à explorer chaque approche — de l'exercice physique aux pratiques spirituelles — qui aurait pu lui apporter un soulagement quelconque. Elle a continué de rechercher les apaisements rapides, un peu de motivation et d'inspiration qui lui permettaient de tenir un jour ou une semaine. Le soulagement ne durait jamais longtemps. Elle finissait toujours par retomber dans le désespoir de son histoire. J'ai doucement suggéré à Caroline de se concentrer, tout au long de l'atelier, sur la peine d'avoir perdu son père et son frère. Elle m'a regardée d'un air incompréhensif : « Vous voulez dire entrer dans la douleur ? »

Ce soir-là, je suis entrée chez moi en pensant aux nombreuses années que nous passons tous à tenter de changer notre histoire, à tenter de nous faire croire que nos traumas et nos humiliations n'existent pas et à tenter de cacher la souffrance de notre passé. Je pensais aussi à toute l'énergie que nous dépensons pour tenter de modifier nos sentiments, nos pensées et nos comportements. Nous agissons ainsi dans l'espoir qu'un jour, quand nous aurons suffisamment fourni d'efforts, notre vie sera transformée et nous serons finalement heureux.

Chaque fois que je dirige un atelier, j'ai le privilège de me retrouver face à quelques-unes des personnes les plus extraordinaires sur cette planète. Ce sont des gens qui ont trimé dur sur leur vie. Certains ont étudié avec les plus grands maîtres spirituels de notre époque ; d'autres ont travaillé avec des thérapeutes ou de sages professeurs pour guérir leurs blessures et apporter leur contribution au monde. Malgré tout, ils ont toujours le sentiment qu'il leur reste des choses à apprendre, plus de sagesse à acquérir, pour devenir des êtres entiers. Une lutte interne les amène à continuellement rechercher une vie plus satisfaisante, qui a plus de sens. Pendant des années, je me suis demandé pourquoi nous étions tous incapables de trouver ce que nous cherchions. Pourquoi, avec toutes nos connaissances, toute notre sagesse, sommes-nous toujours à la recherche de quelque chose de mieux ? Pourquoi le malheur frappe-t-il de bonnes personnes ? Pourquoi est-ce impossible de connaître la joie éternelle ? Pourquoi nos rêves sont-ils inatteignables ? Certaines personnes se sont même endettées à vouloir connaître le comment et le pourquoi de leur vie.

Dans un de mes exercices, nous devons énumérer toutes les méthodes, les techniques et les approches auxquelles nous avons eu recours pour tenter de nous guérir et d'arranger notre histoire. Cette liste était très longue. Nous avons visité des acupuncteurs, des rebirtheurs et, pour la plupart d'entre nous, une bonne quantité de thérapeutes en tous genres. Nous nous sommes penchés sur notre colère, notre enfant et notre critique intérieurs, et quand ces méthodes ont échoué, nous nous sommes tournés vers la danse extatique. Nous avons visualisé, affirmé, chanté et médité notre souffrance. Nous avons suivi les conseils de nutritionnistes, de guides, d'accompagnateurs, de professeurs de yoga et de gourous et quand ces méthodes ont échoué, nous sommes allés voir notre médecin pour qu'il nous prescrive du Prozac. Nous avons débloqué nos chakras, respiré des huiles essentielles et allumé des bougies parfumées. Certains ont écouté de la musique apaisante tout en se laissant flotter dans un bain énergétique. Nous avons fait brûler le l'encens importé d'Inde, posé des boussoles sous nos oreillers, porté des amulettes et des bagues affectant l'humeur. Nous avons tiré des cartes d'anges et nous sommes fait lire le tarot. Nous avons fait du bénévolat pour aider des gens qui nous paraissaient dans une situation encore pire que la nôtre. Certains ont même essayé un mari fortuné ou une jeune et jolie épouse.

Notre liste était interminable et même si nous en avons beaucoup rigolé, la plupart d'entre nous nous sommes retrouvés face à la douleur de ne pouvoir changer notre histoire. Et la question qui a alors surgi était très simple : y a-t-il de l'espoir ?

ALLER AU-DELÀ DU CONNU

Un désir profond nous pousse à remanier notre histoire. Nous désirons ardemment retourner à notre état naturel d'être entier, à l'endroit où nous savons que nous procédons de l'immensité de l'univers et non de l'étroitesse de notre histoire personnelle. Dans notre effort pour trouver l'utopie, l'univers de paix et de plénitude, nous créons des relations, mettons sur pied des entreprises et assistons à des séances de réflexion. Nous passons des centaines d'heures à lire, à étudier et à accumuler du savoir qui, nous l'espérons, nous ramènera à notre état de grâce naturel. Et malgré l'échec, nous poursuivons notre quête. Au plus profond de nous-mêmes, nous savons qu'il est possible de retrouver notre intégrité. Après tout, si vraiment nous n'y croyions pas, nous ne passerions pas autant de temps à la rechercher. Nous nous contenterions du drame répétitif que nous connaissons si bien. Mais la plupart d'entre nous sommes déterminés. Notre désir profond nous incite à trouver le chemin du retour à la maison. Il nous porte à chercher jusqu'à ce que nous nous éveillions à l'immensité de notre moi éternel, le moi qui se situe au-delà de notre histoire.

Lorsque nous sommes prêts à demeurer conscients dans notre histoire, nous devons considérer notre vérité la plus profonde : notre esprit ne peut nous amener où notre cœur veut aller. Notre esprit nous pousse à trouver des réponses, mais souvent ce que nous découvrons nous empêche de voir notre vérité plus profonde. Par exemple, nous en savons très long aujourd'hui sur la santé et la bonne alimentation ; malgré tout, les gens souffrent encore de maladies et de problèmes de poids. Savoir qu'il faut bien s'alimenter et faire de l'exercice n'apporte pas la motivation pour bien manger et se tenir en forme. Toutefois, en prenant conscience du caractère sacré et entier de notre être intérieur et en expérimentant ce que c'est que d'être forts et en bonne santé, nous voudrons naturellement nous alimenter et prendre soin de nous de la meilleure façon qui soit. Mon ami Patrick dit souvent : « Savoir et agir sont deux choses. » Le savoir vit dans notre esprit ; l'être vit dans notre cœur. Afin de devenir la personne que vous désirez être, vous devez renoncer à la personne que vous connaissez. À mes séminaires, je suis toujours étonnée de voir que des hommes et des femmes peuvent réciter des passages entiers tirés des plus grands livres spirituels de notre époque. Ces gens savent au plus profond d'eux-mêmes que, malgré toute cette connaissance, malgré toute cette sagesse, quelque chose leur manque.

LA PEUR DE LÂCHER PRISE

Nous restons emprisonnés dans notre histoire principalement parce que nous nous accrochons à ce que nous connaissons. En tant qu'êtres humains, nous voulons désespérément croire que nous savons qui nous sommes. Cependant, en croyant savoir qui nous sommes et de quoi nous sommes faits, nous demeurons enfermés dans notre histoire. Nos pensées sont limitées ; elles vivent à l'intérieur de la personne que nous croyons être. Nous avons tous un ego qui désire à tout prix acquérir des connaissances. À cet égard, notre ego a un but : il veut la connaissance pour pouvoir se sentir supérieur aux autres. Tous les êtres humains sont ainsi faits. Ce n'est pas mal. C'est tout simplement ainsi. N'essayez pas de vous débarrasser de votre ego ; vous ne pouvez pas. Tout comme vous ne pouvez vous débarrasser de votre histoire. Ce sont des ingrédients essentiels de votre recette divine, dont nous parlerons plus tard. Maintenant, vous devez reconnaître qui mène la barque et les forces qui opèrent à chaque moment de votre vie.

Notre besoin de savoir, notre besoin de contrôler, notre besoin d'avoir raison et notre besoin d'être quelqu'un : voilà ce qui nous tient piégés dans notre histoire. Tenter de réparer une chose qui ne fonctionne pas est une réaction naturelle. Et si nous ne pouvons la réparer, notre prochain réflexe sera de la jeter. Toutefois, quoi que nous fassions, nous ne pouvons ni réparer ni jeter notre histoire. Si c'était le cas, nous ne découvririons jamais qui nous sommes au niveau le plus profond. Si nous réussissions à réparer notre histoire, nous n'arriverions jamais à nous connaître car nous choisirions probablement d'y rester, convaincus qu'elle correspond vraiment à ce que nous sommes. Ce faisant, nous manquerions notre chance d'apporter notre contribution unique au grand puzzle de la vie. Ce serait comme de gagner une bataille, mais de perdre la guerre. Ce que nous croyons gagner en réparant notre histoire n'est rien en comparaison de ce que nous acquérons en la délaissant et en entrant dans la plénitude de ce que nous sommes vraiment.

Bon nombre d'entre nous craignons de délaisser notre histoire, même lorsqu'elle ne nous sert plus à rien, car nous croyons que sans elle nous ne saurons plus qui nous sommes. Nous nous demandons : « Qui serais-je sans mon histoire ? J'aurais peur de ne plus me connaître. » Voilà qui serait très bien ainsi ! Il est tellement excitant de ne pas se connaître. Le moi que nous connaissons n'est qu'une partie limitée de notre véritable identité — un petit grain de sable. Vous avez appris à vous considérer comme un seul volet, alors qu'en réalité vous êtes un kaléidoscope comprenant des milliers de couleurs éclatantes qui s'entremêlent pour créer des images magiques. Chaque fois que vous tournez le kaléidoscope dans un sens ou dans l'autre, un tout nouveau monde se déploie sous vos yeux. Selon notre point de mire, soudain nous pouvons apercevoir des choses que nous n'avons jamais vues auparavant. La perspective que nous avons sur nous-mêmes n'est qu'une vue limitée de notre nature véritable.

ACTIONS REQUISES POUR LA GUÉRISON

1. Créez-vous un environnement où vous n'aurez pas de distractions. Sortez votre journal personnel et répondez librement aux questions suivantes :

Qui serais-je sans mon histoire ?

Qu'ai-je peur de perdre en renonçant à mon histoire ?

2. Dressez la liste de tout ce que vous avez effectué en vue de remanier votre histoire ou de vous en débarrasser.

3. Énumérez toutes les façons dont se manifeste la résistance dans votre vie. Quels comportements, émotions et croyances vous empêchent d'accepter ce qui est ?

4. Établissez la liste de toutes les façons dont vous utilisez l'espoir pour éviter de faire face à la réalité. Si vous n'aviez pas l'espoir qu'un miracle se produise, quels changements apporteriez-vous dans votre vie, aujourd'hui même ?

Contemplation

« Il est bon que j'abandonne
mon histoire. »

Chapitre 5

RECONQUÉRIR VOTRE POUVOIR

S i je pouvais apporter une solution à un seul problème humain, je choisirais de soulager chacun et chacune de l'insupportable souffrance d'être une victime. Évidemment, je n'ai pas le pouvoir de soulager quiconque de quoi que ce soit. Vous êtes le seul à pouvoir vous soulager. Tous les gens que j'ai rencontrés ont une histoire de victimisation. La plupart d'entre nous accusons nos parents de nos lacunes ; certains blâment leurs enseignants, leur ancien mari ou leur ancienne épouse, leurs agresseurs, leurs chefs religieux, leurs amis ou leurs grands-parents. Beucoup sentent qu'on a profité d'eux à leur travail ou dans leur famille, que Dieu les a abandonnés, qu'ils sont des victimes dans la vie en général.

L'histoire de la victimisation raconte que, quelque part sur notre chemin, nous avons été trompés et que les crimes qui ont été perpétrés contre nous sont la cause de notre souffrance. Tant que nous croyons à cette histoire, elle nous limite et nous enlève notre pouvoir personnel. La plupart d'entre nous avons réuni de nombreuses preuves pour valider notre sentiment que nous sommes des victimes de la vie. Cela devient pour nous une façon de voir la vie. En ne nous considérant pas comme les cocréateurs de notre réalité, c'est là que nous nous trompons. En modifiant cette perspective, nous découvrons une réalité plus grande et plus puissante qui nous dit que nous sommes les cocréateurs de notre expérience. À partir de cette perspective, nous sommes en mesure d'accepter tout ce qui nous est arrivé, tel que nous devons le faire afin de réaliser notre plein potentiel et progresser dans notre vie.

Le sentiment d'être une victime est dangereux car nous n'en sommes pas toujours conscients. C'est un élément si important de notre histoire que nous ne nous rendons même pas compte à quel point il affecte notre vie. Même si nous ne nous sentons pas comme une victime dans le monde extérieur, bon nombre d'entre nous sommes devenus des victimes de notre propre violence. Au lieu de mettre le blâme sur les autres, nous nous accusons nous-mêmes. Certains croient que cette attitude fait d'eux de meilleures personnes. Lorsque nous préférons nous blâmer nous-mêmes, il est probable que nous nous sentions supérieurs à ceux qui accusent les autres. D'une façon ou de l'autre, nous sommes des victimes. Soit nous sommes victimes des autres ou de nous-mêmes. D'une façon ou de l'autre, nous sommes impuissants et quand nous nous sentons ainsi, nous sommes entraînés encore plus profondément dans notre histoire. Tout un choix ! Soit quelqu'un d'autre nous maltraite ou nous nous maltraitons nous-mêmes. D'une façon ou de l'autre, nous sommes blessés. D'une façon ou de l'autre, nous sommes perdants.

LE COÛT DU BLÂME

Tant que notre histoire nous permet d'obtenir quelque chose, nous la conservons. Sans même nous en rendre compte, la plupart d'entre nous retirons un énorme bénéfice du fait de faire porter le blâme par les autres. Nous ressentons une certaine satisfaction intérieure à pointer les autres du doigt. Bien des gens blâmeront les autres jusqu'à leur mort des circonstances de leur vie. Nous sommes prêts à tout pour éviter d'accepter notre responsabilité dans notre histoire. Malheureusement, en mettant le blâme sur les autres et en nous raccrochant à la douleur de notre passé, nous nous engageons dans une voie limitée parsemée de misère. Tant que nous accusons les autres des circonstances de notre vie, nous ne sommes pas libres puisque notre rancœur nous maintient liés aux personnes mêmes — ainsi qu'aux circonstances — que nous détestons. Tant que nous transportons ce ressentiment dans notre cœur, nous devons créer une certaine forme de douleur, de drame ou d'insatisfaction dans notre vie afin de conserver le blâme. La majorité d'entre nous ne cesse de se répéter intérieurement : « Regarde ce que tu m'as fait. » Quoi que nous fassions dans le monde extérieur pour rendre notre vie agréable, cet engagement intérieur à blâmer les autres prévaut toujours. Il guide notre comportement et souligne les expériences qui prouvent que nous avons raison, c'est-à-dire que nous avons été trompés et que cette tromperie nous rend incapables de réaliser ce que nous désirons. Tant que nous demeurons la victime d'une autre personne, nous devons trouver des moyens de nous maltraiter afin de justifier notre ressentiment.

La seule façon de sortir de ce piège consiste à se responsabiliser. Au niveau le plus profond, la plupart d'entre nous refusons d'accepter l'entière responsabilité des événements qui nous arrivent parce qu'en agissant autrement, nous aurions l'impression d'acquitter quelqu'un qui nous a fait du mal. En réalité, la seule façon de nous libérer est de nous responsabiliser. Si une personne a fait de nous une victime et que nous finissons par devenir l'être humain le plus merveilleux qui ait existé, nous cessons tout naturellement de lui faire porter le blâme et nous ne sentons plus le besoin ni le désir de lui rappeler constamment son crime. En fait, nous verrons que les aptitudes que nous avons acquises et les souffrances que nous avons endurées ont été des éléments essentiels de notre évolution.

Je veux maintenant vous parler de Jerri, une jolie femme dans la mi-cinquantaine que j'ai rencontrée chez une amie. En parlant avec elle, j'ai appris que Jerri était une conseillère financière qui réussissait très bien. Lorsque je lui ai demandé quelle personne ou quel événement avait le plus contribué à son succès, elle m'a regardée droit dans les yeux et m'a dit : « ma mère alcoolique ». Intriguée, je l'ai questionnée davantage : « Que vous a enseigné votre mère alcoolique sur la gestion financière ? » Et Jerri m'a raconté qu'après le départ de son père lorsqu'elle était adolescente, sa mère s'était comportée de façon très irresponsable avec l'argent. Souvent, elle dépensait tous les revenus mensuels de la famille à s'amuser en ville. Afin de s'assurer qu'elle-même et ses deux frères disposent de fournitures scolaires, de vêtements et de nourriture, Jerri avait intercepté l'allocation d'invalidité bimestrielle de sa mère et utilisé cet argent pour acheter des produits de première nécessité pour toute la famille. J'ai déclaré à Jerri : « Il semble que toute votre vie vous ayez eu du talent pour la planification financière. » « Pas du tout, m'a-t-elle répondu, quand j'étais plus jeune je ne désirais que trouver un homme pour me soutenir financièrement pendant que j'élèverais ma famille. Je ne voulais aucunement voir à nos finances. Puis, lorsque j'ai divorcé, j'ai dû gagner ma vie. Face au défi d'entreprendre une nouvelle carrière à un âge avancé, j'ai considéré mes habiletés et mes talents. C'est à ce moment que je me suis rendu compte que j'étais bonne dans la gestion financière et que j'avais acquis ces aptitudes à cause de mon enfance instable sur le plan pécuniaire. J'ai donc décidé de retourner à l'école pour obtenir un diplôme et c'est là que j'ai vu que ma mère m'avait énormément appris. Cette prise de conscience a changé beaucoup de choses en moi. J'ai été capable de laisser tomber la colère que je ressentais envers elle et j'ai cessé de l'accuser de mon irresponsabilité sur le plan financier.

« Quand j'ai finalement arrêté de blâmer ma mère, j'ai vu très clairement quelle direction devait prendre ma vie. À partir de cet instant, j'ai su que je n'avais plus à souffrir à cause de problèmes d'argent et que grâce à mon don je pouvais aider les autres et profiter de mon succès. »

PARDONNER À SES PARENTS

Se responsabiliser est un processus qui parfois se met en place par étapes. J'ai connu des personnes qui ont difficilement réalisé que même après douze ans de thérapie et d'innombrables séminaires de croissance personnelle, elles continuaient de faire porter le blâme de leur situation par leurs parents. Ne voulant pas admettre qu'elles avaient dépensé tout ce temps et tout cet argent, elles ont adopté une approche spirituelle selon laquelle elles devaient se responsabiliser face à leur réalité. Plutôt que d'explorer leur ressentiment bien ancré envers leurs parents, ces personnes ont tenté d'améliorer leur histoire en se disant, par exemple : « Mes parents ont fait ce qu'ils ont pu avec ce qu'ils avaient. Ils portaient leur propre bagage de difficultés. Ce n'est pas juste de les blâmer. » Même si ce genre d'énoncé peut être vrai, il est important de prendre le temps de régler ces questions du passé en voyant dans les événements les bienfaits qu'ils renferment au lieu de fabriquer de nouvelles histoires pour les expliquer. Dans le monde spirituel, se responsabiliser devient une autre forme de violence contre soi-même ; cela nous maintient enfermés dans la victimisation. C'est un autre moyen que nous utilisons pour nous maltraiter, nous culpabiliser et nous rendre impuissants. Ce n'est qu'une forme plus subtile de victimisation qui transforme notre colère extérieure en tourment intérieur.

Se responsabiliser vraiment est un processus et c'est la seule façon de se sortir de la victimisation. Cela sous-entend de reconnaître que nous sommes les cocréateurs des drames que nous avons vécus. Se responsabiliser nous demande de retirer de la sagesse de nos expériences et de découvrir les bienfaits que celles-ci nous offrent, tout comme l'a fait Jerri. Cela signifie d'apprendre les leçons parfois pénibles que nous enseigne chaque expérience. Notre destination ultime est la responsabilité, mais si nous cultivons un profond ressentiment envers d'autres personnes, nous devons le cerner et le régler. Sinon. cette rancœur continue d'empoisonner notre psyché, de saboter notre confiance en soi et d'empêcher nos rêves de se réaliser.

Il y a plusieurs étapes de guérison quand il est question de nos parents. Parfois nous nous sentons libérés, puis quelque chose se produit et nous découvrons une autre couche de souffrance. Cependant, si nous ne progressons pas, cela signifie que face à nos parents nous persistons à répéter : « regarde ce que tu m'as fait ». La rancœur est tenace. Elle peut mettre toute une vie à disparaître. Toutefois, en la niant, nous ne progresserons jamais. Si nous sommes continuellement bloqués ou heurtés et si nous ne trouvons pas de satisfaction dans la vie, cela signifie que nous transportons encore de la rancœur. Peut-être nous tenons-nous loin de la grandeur afin de pouvoir justifier notre blâme. Lorsque nous avons pardonné toutes leurs lacunes et leurs erreurs à nos parents, le plus beau cadeau que nous puissions leur offrir est de mener une vie extraordinaire, de briller avec le plus d'éclat possible. Mais si nous gardons du ressentiment à leur égard, nous retournerons inconsciemment vers eux en étant malheureux.

Depuis son enfance, Lori avait rêvé de devenir actrice. Ses enseignants avaient reconnu son talent pour l'expression et le théâtre et l'avaient encouragée à poursuivre dans cette voie. Cependant, sa mère avait été moins encourageante. Une femme fière et bien à sa place, elle avait voulu que sa fille fréquente une bonne université et se trouve un emploi respectable, tout comme l'avaient fait ses fils. Après y avoir réfléchi, Lori avait laissé de côté ce qu'elle considérait comme des opinions rigides de la part de sa mère et avait décidé de ne pas aller à l'université. Toutefois, elle en a toujours voulu à sa mère de ne pas l'avoir encouragée à suivre sa passion.

Puis, à dix-neuf ans et célibataire, Lori est tombée enceinte. C'était en 1965. Elle vivait dans une petite ville conservatrice du Midwest et, selon elle, le mieux était de se marier. À cause de son éducation convenable, c'était important pour elle de sentir qu'elle était une femme digne d'avoir un enfant au lieu de subir la honte d'être une mère célibataire qui élevait seule son enfant. Elle a donc choisi d'épouser un homme qu'elle n'aimait pas, tout en sachant qu'elle allait vraisemblablement finir par se retrouver seule avec son enfant. Eh bien, ce fut le cas. Quelques mois seulement après la naissance de son fils Joshua, son mari la quittait. Puis, lorsque Joshua a eu six mois, la mère de Lori lui a envoyé une coupure de presse. Une troupe de théâtre venait jouer en ville et avait besoin de figurants pour quelques rôles, entre autres celui d'une femme dans la jeune vingtaine. Sa mère lui suggérait d'aller passer une audition. Cet encouragement soudain de la part de sa mère l'a étonnée et toute sa rancœur a resurgi. « Va te faire foutre ! » a-t-elle lancé en déchirant l'annonce. À cet instant, Lori a rendu sa mère coupable et a décidé de ne plus jamais jouer, scellant ainsi son destin.

Le blâme et la rancœur sont les émotions toxiques qui nous gardent prisonniers de l'étroitesse de notre histoire. Une conversation est tissée dans nos drames personnels. Elle s'apparente à ceci : « Regarde ce que tu m'as fait. Tu as gâché ma vie. Tout comme toi, je ne vaux rien. » Ou encore : « Je ne réussirai jamais quoi que ce soit, comme tu me l'as dit. » Nous tenons les autres responsables de nos faiblesses, puis nous nous efforçons de prouver que nous avons effectivement été maltraités et trompés. Notre histoire commençant par « pauvre de moi » devient la preuve que nous avons été maltraités, négligés ou abusés. Et chaque fois que nous ne donnons pas le meilleur de nous-mêmes, nous détenons l'alibi parfait : « Si je n'avais pas eu ce père colérique, cette petite amie si moche, cette mère alcoolique, si je n'avais pas été violée, agressée sexuellement, battue, ignorée, abandonnée ou ridiculisée, je ne serais pas ainsi. » Nous utilisons aussi chaque défaite, chaque déception, chaque échec amoureux ou en affaires pour soutenir notre conviction que nous sommes une victime. Nous sabotons constamment nos efforts pour atteindre succès et bonheur afin de maintenir notre rancœur et garder intacte notre histoire. Notre malheur et nos échecs persistants nous prouvent que nous avons raison et que ceux que nous blâmons ont tort.

Il est important d'identifier les personnes que nous accusons du fait de ne pas vivre la vie de nos rêves. Il s'agit peut-être de notre père, de notre mère, de notre beau-père, des religieux qui nous ont élevés, de notre rabbin, de notre gourou, de notre médecin, de l'enseignant qui ne nous a pas choisis. Peut-être accusons-nous notre sœur : si elle n'avait pas agi de la sorte lorsque nous avions six ans, nous ne serions pas dans une telle situation désastreuse. Peut-être accusons-nous les fiers-à-bras qui nous ont raillés ou les enfants de notre classe qui nous ont ignorés. Les gens que nous blâmons nous donnent l'excuse idéale pour notre propre sabotage. Inconsciemment, nous les punissons en n'étant pas aussi heureux ou en ne remportant pas autant de succès que nous le pourrions. Verbalement ou non, nous disons : « Regarde, tu m'as vraiment blessé, j'ai échoué. »

Récemment, à un séminaire, j'ai rencontré Sunny, une écrivaine en herbe. Elle m'a raconté que dès sa naissance, elle a senti que quoi qu'elle faisait, son père n'était jamais content. C'était le thème de son histoire. La dernière de trois filles, Sunny avait grandi dans une région rurale où l'on élevait du bétail. C'était une petite fille sensible qui aimait naturellement prendre soin des gens, mais elle n'avait aucun goût ni aucun talent pour l'élevage du bétail. Elle avait l'habitude de se sauver de la ferme en pleurs lorsqu'on lui demandait de pousser un comprimé quelconque dans la gorge d'une vache ou de couper les cornes d'un jeune veau. Elle avait constamment l'impression d'être inutile aux yeux de son père. Elle n'était pas le petit garçon qu'elle croyait que son père voulait qu'elle soit.

J'ai appris que pendant des années Sunny avait désiré écrire un livre sur les leçons que les femmes apprennent les unes des autres. Lorsque je lui ai demandé ce qui l'empêchait d'amorcer son projet, elle a dit : « Je crois au fond de moi que mon livre deviendrait un best-seller et que lorsque mon père me verrait à la télévision ou qu'il verrait mon nom dans les journaux, à l'église le dimanche il dirait aux gens : "regardez ce qu'a fait ma petite fille". Je ne veux pas qu'il jouisse de ma gloire. » Sunny avait gaspillé des années de sa vie à s'empêcher de réaliser son désir juste pour pouvoir priver son père du plaisir de s'enorgueillir.

À la fin du week-end, Sunny a réalisé à quel point elle avait cédé de son pouvoir à son père. Elle s'est aussi rendu compte que sans la désapprobation de son père, elle n'aurait jamais été attirée par l'écriture. Je suis certaine que le jour où Sunny deviendra écrivaine, elle remerciera Dieu que son père n'ait pas été disponible sur le plan des émotions car c'est justement ce manque d'intimité avec lui qui a fait naître son rêve. Elle remerciera Dieu de toutes les petites choses qui lui sont arrivées, incluant d'avoir eu ce père dotés de tels défauts. Sunny a le choix : elle peut transporter cette rancune toute sa vie et ainsi priver son père du droit d'être fier d'elle. Malheureusement, en le privant, elle se prive elle-même. Elle prive aussi le monde de ce qu'elle a à communiquer.

La plupart d'entre nous avons toute notre vie transporté cette même rancune. Et si nous le désirons, nous pouvons la porter jusqu'à l'âge de quatre-vingt-deux ans. Cela nous fait peut-être sentir bien de blâmer notre mère ou notre père, notre sœur ou notre frère. Cela fait parfois du bien de pointer les autres du doigt. C'est une façon de libérer la tension. Nous préférons dire : « c'est toi qui m'a fait cela » au lieu de : « je me suis fait cela ». Toutefois, voici les questions que nous devons nous poser maintenant. Depuis combien d'années ai-je accusé ma mère ou mon père ? Combien de fois ai-je répété les mêmes comportements malsains dans le but de les punir ? Pendant combien d'années encore ai-je l'intention d'agir ainsi ? Qu'ai-je sacrifié en conservant ma rancune ?

Si nous ne créons pas ce que nous voulons dans notre vie, c'est probablement parce que nous gardons du ressentiment à l'égard de quelque chose ou de quelqu'un. Si nous ne réalisons pas tous nos désirs, c'est que nous faisons du sabotage envers nous-mêmes. Nous sommes toujours davantage engagés à ne pas nous réaliser pleinement plutôt qu'à être heureux. En commençant à satisfaire tous nos désirs, il n'y aura personne à accuser et sans cette attache à notre passé, nous devenons libres de vivre la vie de nos rêves. Lorsque nous abandonnons notre droit d'être une victime, nous comprenons que nous avons eu les parents parfaits qui nous ont enseigné les leçons idéales. Nous cessons de les haïr, peu importe à quel point ils nous ont trompés ou maltraités. Libérés de l'étroitesse que confère l'état de victime, nous nous manifestons dans toute notre puissance et notre gloire et nous sommes reconnaissants de chaque événement de notre vie, les négatifs comme les positifs.

QUELLE EST VOTRE EXCUSE ?

Chaque fois que nous accusons les autres, nous nous en servons comme excuse pour ne pas vivre pleinement notre vie. Nous, les êtres humains, sommes des experts pour inventer des excuses qui justifient notre destinée. Tout comme le léopard se fond dans la jungle environnante, nos excuses se font passer pour la vérité. Elles nous parlent doucement à l'oreille chaque fois que nous tentons de franchir les frontières de notre histoire. Le pire, c'est que la plupart d'entre nous tenons nos justifications pour des vérités. Afin de nous libérer de notre histoire, nous devons accepter d'exposer les excuses qui nous servent à la confirmer. Nous devons considérer d'un œil critique nos drames quotidiens, nos raisons et nos alibis et nous poser cette question : est-ce la vérité ou seulement une excuse ?

Afin d'amorcer le processus qui changera notre vie et qui consiste à démanteler notre réalité actuelle, nous devons mettre au jour les excuses que nous utilisons et qui nous empêchent d'aller de l'avant et de réaliser tout ce que nous voulons dans la vie. Nos excuses sont comme des bornes invisibles autour de nous qui établissent les limites de ce que nous pouvons accomplir. Nos excuses justifient notre sort tout en nous laissant croire que nous sommes impuissants à atteindre l'inatteignable et à obtenir l'impossible. Imaginez que vous êtes entouré d'une borne en verre transparent. Chaque fois que vous voulez traverser cette borne, vous vous heurtez contre le verre et retournez à l'endroit d'où vous venez. C'est ce qui se produit quand nous croyons à nos excuses. Sans le savoir, nous retournons sans cesse au point de départ, car nos limites ont été établies. Elles ont été programmées dans notre esprit et, comme tout bon système d'exploitation, elles ne font que suivre nos directives. Les excuses nous maintiennent prisonniers de notre réalité actuelle et perpétuent le cycle de notre insatisfaction.

Nos excuses peuvent prendre diverses formes. Par exemple :

« Je ne réussirai jamais. » « Je ne peux être parfaitement heureux. » « Je ne suis pas assez bon, assez vieux, assez intelligent. » « Je suis trop vieux, trop stupide, trop gros, trop fatigué, trop (*à compléter*). » Les phrases suivantes vous sont peut-être familières : « Je suis dans une impasse, je suis mêlé, je n'y peux rien. » ou « Je ne sais comment m'y prendre. » Ou encore : « Je suis trop paresseuse. Je n'ai pas assez d'énergie. Je remets tout au lendemain. » et « Dieu décidera du moment opportun. » Peut-être que votre excuse est la suivante : « J'ai besoin d'une meilleure formation, de plus d'information ou d'aide. » ou : « Je vais le faire demain, je ne suis pas prêt. » ou encore : « Si seulement mon enfance avait été différente. » « Si seulement j'avais eu un bon modèle de comportement. » « C'est sa faute. » « Si seulement il pouvait changer. » « Je n'ai pas ce qu'il faut. » « Une autre personne pourrait le faire mieux que moi. » Un sentiment d'impuissance vous accompagne-t-il souvent ? Dites-vous souvent : « j'ai besoin d'aide », « si je dis ce que je pense, les gens ne m'aimeront pas », « si je réalise pleinement mon potentiel, je vais être seul », « n'en ai-je pas suffisamment fait jusqu'à maintenant ? »

Nos drames personnels — nos souffrances, nos plaintes et nos insatisfactions — deviennent souvent l'excuse qui justifie pourquoi nous ne manifestons pas notre moi le plus grandiose. Nos drames prennent tellement de place que la plupart d'entre nous ne saurions pas qui nous sommes sans eux. Afin de pouvoir nous détacher de nos drames et traverser nos limites, il nous faut prendre conscience de ce que nous en retirons.

Voici une méthode rapide pour vérifier si vous utilisez une excuse. Posez-vous les questions suivantes :

1. Est-ce la vérité ou une excuse déjà entendue ?

2. Est-ce que (*une personne que vous admirez et respectez*) considérerait cela comme la vérité ou comme une excuse ?

3. Suis-je responsable de ce choix ou est-ce que je rends les autres, Dieu ou la vie responsables ?

Les réponses à ces questions devraient vous aider à déterminer si vous justifiez les circonstances de votre vie en utilisant des excuses. Je vais vous donner un exemple. L'une de mes excuses favorites était que j'étais trop occupée pour m'accorder du temps libre et m'amuser. Je m'entendais me plaindre continuellement de la quantité de travail que j'avais à exécuter. Puis un jour, mon amie Danielle m'a demandé : « Debbie, qui fait ton horaire ? » Même si je savais que j'établissais moi-même mon emploi du temps, j'avais un millier d'excuses pour expliquer pourquoi je devais rester aussi occupée : « C'est la faute de mon éditeur, de ma sœur, de mon agente, de mon personnel. Ils ont besoin de moi. » Toutes ces excuses me donnaient le sentiment d'être une victime impuissante. Sans les remettre en question, j'acceptais ces excuses comme la vérité. Puis, je me suis arrêtée pour me demander : « Est-ce la vérité ou une excuse déjà entendue ? » La réponse m'est apparue clairement : « J'ai déjà entendu cela tant de fois auparavant ! » J'ai alors pensé à mon amie Cheryl et me suis posé la question suivante : « Considérerait-elle cela comme la vérité ou comme une excuse ? » J'ai immédiatement su que Cheryl m'aiderait à voir que personne au monde à part moi ne peut faire une priorité de mon bien-être et que je me servais des autres comme excuse pour ne pas prendre la responsabilité de mon horaire. J'ai ensuite réfléchi à cette question : « Suis-je responsable des circonstances de ma vie ou est-ce que je rends les autres, Dieu ou la vie responsables ? » Ma réponse ? « Absolument. » Cela m'a permis de me rendre compte que toutes mes raisons n'étaient qu'une forme d'excuse qui me donnait l'impression d'être une victime impuissante de ma propre vie. Je me suis aperçu que si je désirais m'amuser davantage et avoir plus de loisirs, je n'avais qu'à cesser de recourir à des excuses et à accepter la responsabilité de mes choix. C'est ce que j'ai fait.

Récemment, lors d'une conférence sur les excuses que je donnais pour les participants de mon programme d'encadrement, j'ai eu une autre occasion de me demander si j'utilisais des excuses dans ma vie. J'étais certaine d'avoir éliminé la plus grande partie de ce qui m'avait retenue dans le passé et m'avait fait répéter les mêmes comportements, mais j'ai tout de même entrepris cet examen. Une semaine plus tard, j'ai commencé à ressentir les symptômes du rhume. Ce sont toujours les mêmes et je les reconnais très bien : j'ai la gorge irritée et tout mon corps est fatigué. Il me semblait que j'attrapais toujours un rhume qui me freinait dans ma lancée et me retenait au lit pendant quelques jours. Parfois, je tentais de le contrer en ingurgitant toutes sortes de suppléments ou je cédais et me permettais d'être malade et de rester à la maison. Cette semaine-là était particulièrement occupée et j'avais l'impression que je ne pouvais me permettre d'être malade. Puis, en plein régime de vitamines C et d'astragale, j'ai eu une révélation : le rhume constituait mon excuse. Soudain la lumière s'est allumée et j'ai pu voir clairement que chaque fois que j'avais besoin de me reposer, chaque fois que j'étais débordée ou que j'avais trop d'engagements à respecter, j'attrapais un rhume. C'était mon excuse, ma raison, mon alibi, ma façon de faire savoir à tous que je ne pouvais en prendre davantage. Plus que tout, cependant, mon rhume servait de panneau-réclame proclamant : « n'attendez rien de plus de moi ». En réfléchissant à mon enfance, je me suis aperçu que j'avais l'habitude de tomber malade pour obtenir plus d'attention de la part de mes parents.

Ce soir-là, je me suis mise au lit toute fière de ma révélation, mais je sentais encore que le rhume me menaçait. Une fois allongée, j'ai fait la liste de tout ce que je pouvais faire pour prendre soin de moi au lieu de céder à la maladie. En fermant les yeux pour me recueillir quelques minutes, j'ai pu facilement trouver les réponses : je devais m'assurer de m'accorder du temps à moi-même chaque semaine. Ma sagesse intérieure m'a dicté très clairement que je devais prévoir au moins une heure chaque jour uniquement pour prier et méditer. De plus, je devais consacrer une journée par mois à faire des choses qui favorisaient mon bien-être.

J'ai remarqué que lorsque je délaissais mes excuses pour écouter plutôt mon guide intérieur, j'étais relativement forte et en bonne santé. Maintenant, quand je sens que la maladie me guette, je me rappelle qu'elle n'est qu'une excuse pour m'accorder de l'attention. Je peux choisir de prendre le temps de me donner l'attention dont j'ai besoin, même si cela signifie d'annuler des projets et de décevoir des gens. En abandonnant nos excuses, nous sommes projetés dans la conscience puissante dont nous pouvons jouir en devenant responsables de notre vie.

Lorsque nous devenons responsables, nous saisissons le plein pouvoir de notre humanité. Nous laissons derrière nous les limites que notre histoire a définies et dépassons nos croyances sous-jacentes, celles qui nous disent : « Tu n'es pas capable. » Nous accédons à la conscience puissante d'être en mesure de cocréer nos rêves et nos désirs. Assumer la responsabilité de tout ce que nous sommes est le plus beau cadeau que nous puissions nous offrir, car c'est ainsi que nous devenons des êtres complets. Cela nous donne le pouvoir d'avancer vers notre plein potentiel.

Fermez les yeux et imprégnez-vous de cette pensée : *En ce moment, j'ai le pouvoir inné de changer le sens de ma vie.* Vous sentez-vous fort ou faible ? Rien n'est plus excitant pour nous que de savoir que nous avons le pouvoir de changer. Nous pouvons choisir notre façon de concevoir le monde. Soit la possibilité d'être les cocréateurs des événements de notre vie nous inspire, soit nos croyances sous-jacentes continuent de faire de nous des victimes, de drainer notre pouvoir, de nous dire que nous ne méritons pas d'être totalement heureux.

Même si, selon votre histoire, c'est la vie qui a déterminé votre destinée, lorsque vous affirmerez : « je décide de mon sort », vous acquerrez le pouvoir de la modifier. La voix du pouvoir dit : « Je crée ma propre vie. J'en suis responsable et je peux la changer. » La voix de l'impuissance, de son côté, affirme : « Voilà ce qu'on m'a fait. Je n'y peux rien. Je ne peux m'en sortir. » À chaque instant de votre vie, vous avez la chance de choisir le monde dans lequel vous vivez. Voici votre chance de définir votre monde.

Pouvoir ou impuissance. Faites votre choix.

ACTIONS REQUISES POUR LA GUÉRISON

1. Faites la liste de tous les domaines de votre vie où vous vous sentez limité ou frustré ou dans lesquels vous ne recevez pas tout ce que vous désirez. Fermez les yeux, respirez profondément et accordez-vous la permission d'être complètement honnête. Toujours les yeux fermés, posez-vous les questions suivantes. Par la suite, inscrivez dans votre journal personnel tout ce qui vous est venu à l'esprit.

> Qui est-ce que je blâme des circonstances de ma vie ?
> Qui est-ce que j'accuse chaque fois que je ne réussis pas à manifester mon plein potentiel ?
> Quels comportements destructeurs me servent à prouver qu'on m'a trompé ou maltraité ?
> Qu'est-ce que je retire en rendant les autres responsables de ma réalité ? Qu'est-ce que j'obtiens avec mes fausses croyances, mon déni et mes moyens d'éviter la réalité ?

2. Sur une autre feuille, dressez la liste de toutes les excuses qui vous servent à justifier pourquoi vous ne réalisez pas vos désirs profonds. Puis, lisez votre liste à haute voix. Fermez les yeux et recueillez-vous. Respirez profondément à quelques reprises et posez-vous les questions suivantes. Par la suite, inscrivez dans votre journal personnel tout ce qui vous est venu à l'esprit.

> Depuis combien d'années est-ce que j'utilise ces excuses ?
> Quel besoin mes excuses comblent-elles ?
> Si je délaissais mes excuses, à quels sentiments et à quelles expériences aurais-je accès ?

Contemplation

« Aujourd'hui, je choisis d'assumer entièrement la responsabilité de ma réalité. Et cela me plaît. »

Chapitre 6

L'IMPORTANCE DE GUÉRIR LES BLESSURES

N ous restons pris dans notre histoire tant que nous n'avons pas appris toutes les leçons et acquis la sagesse dont nous avons besoin pour offrir notre contribution unique au monde. Il nous faut absolument comprendre que nous avons créé notre histoire — avec toute sa splendeur et tout son désespoir — afin d'apprendre les leçons spirituelles dont nous avons le plus besoin. Notre histoire contient toute la sagesse qu'il nous faut pour devenir la personne que nous voulons être. Ces leçons sont différentes pour chacun d'entre nous. Comme l'a si bien dit Deepak Chopra : « Nous avons marché dans différents jardins, avons pleuré à différentes funérailles et nous sommes agenouillés à différents tombeaux. » Chacun de nous a eu différents succès et échecs et a des leçons différentes à apprendre. Mais un l'éclairage divin a guidé chaque expérience de notre vie afin de nous montrer de façon encore plus évidente qui nous sommes et que nous obtenions exactement ce dont nous avons besoin pour réaliser notre but propre. Notre histoire de vie nous a fourni un ensemble particulier d'aptitudes et un mélange unique de sagesse que nous devons offrir au monde.

Pour vivre à l'extérieur de notre histoire, nous devons traverser courageusement notre vie parsemée de drames et entreprendre le processus qui consiste à accepter et à aimer tout ce que nous sommes et tout ce que nous ne sommes pas. Nous devons prendre le temps d'examiner chacun des chapitres de notre vie, afin de repérer les endroits où nous sommes encore bloqués ou blessés et où nous devons encore progresser. Nous devons laisser tomber notre ressentiment et cesser de blâmer les autres des circonstances de notre vie. Nous devons assumer la responsabilité des circonstances actuelles de notre vie et abandonner le bagage que nous traînons de notre passé. Nous devons nous engager à traverser nos drames personnels et à faire la paix avec notre histoire.

CESSER DE RECHERCHER LES PLAISIRS ÉPHÉMÈRES

Des millions de gens ont dépensé des milliards de dollars pour tenter d'accéder à une profonde paix intérieure — en vain. D'autres ont réussi à se sentir mieux et ont fait le ménage de leurs pensées, de leurs secrets et de leurs relations. D'autres encore continuent de chercher, tentant désespérément de trouver la bonne réponse — celle qui les libérera de leur souffrance. Mais nous ne pouvons échapper à cette souffrance. En évitant nos douleurs, nous perpétuons nos drames et traînons notre passé avec nous, chaque jour. Il est pratiquement impossible d'apprécier l'endroit où nous sommes et ce que nous faisons lorsque le passé se trouve juste sous la surface de notre conscience, épiant nos moindres gestes, nous rappelant nos échecs et nos traumas. Pour amorcer le processus qui consiste à faire la paix avec notre histoire, nous devons nous engager à abandonner tous les comportements auxquels nous recourons pour anesthésier notre douleur. En examinant attentivement ces comportements avec honnêteté, nous découvrirons probablement que la plupart des façons que nous utilisons pour nous engourdir ne fonctionnent pas très bien. Afin de pouvoir guérir, nous devons cesser de rechercher ce que j'appelle les plaisirs éphémères. Le processus que je vais vous présenter maintenant vous offre un moyen de mettre fin au cycle éternel de l'insatisfaction. Ce n'est pas une voie facile. D'ailleurs, je ne crois pas qu'il en existe une. Mais je vous promets que la voie directe vers la paix et la satisfaction durables se parcourt beaucoup plus facilement que le chemin tortueux de la recherche, des essais et des échecs sans fin.

Vivre en sentant que, profondément en nous-mêmes, quelque choses ne va pas — que nous ne valons pas grand-chose ou que nous n'avons pas d'importance — constitue un enfer difficile à supporter, tout autant que de vivre une vie dans laquelle nos rêves ne nous sont jamais accessibles. Le désespoir, l'insatisfaction et le puits vraisemblablement sans fond de la douleur émotionnelle tuent notre esprit et nous séparent de notre moi le plus extraordinaire. Il n'y a rien de pire pour l'esprit humain. Rien ne peut davantage prendre notre force vitale que la croyance que nous sommes imparfaits et qu'à un certain degré fondamental, nous sommes incurables.

ACCEPTER L'ENSEMBLE

Le processus qui consiste à faire la paix avec notre histoire exige que nous reconnaissions, comprenions et acceptions tout ce qui nous a fait souffrir par le passé. Que nous tentions de régler un incident pénible, de comprendre une croyance sous-jacente ou d'éliminer un aspect indésirable de nous-mêmes, le processus reste le même. Que nous souffrions de dépression, d'une mauvaise santé, d'insatisfaction, d'un sentiment d'indignité, d'arrogance ou d'une faible estime de soi, le chemin de la guérison est le même. Que nous ayons eu une mère colérique ou que nous ayons subi une agression sexuelle d'un cousin, la guérison vient de la même démarche. Nous réglons la déception d'avoir perdu un emploi de la même façon que nous réglons la colère que nous éprouvons à l'égard d'une personne qui nous a quittés. Une situation peut être plus douloureuse que l'autre, laisser des cicatrices plus profondes, mais le chemin de la guérison est toujours le même. Lorsque nous entreprenons le voyage intérieur qui nous amène à accepter notre histoire et tous ses éléments, nous commençons à voir la vie qui s'étale devant nous, une vie qui nous offrira le cadeau de notre moi éternel. Nos traumas et nos échecs, lorsqu'ils sont compris et réglés, nous ramènent profondément en nous-mêmes, à notre essence divine.

TROUVER LE CADEAU DANS LA DOULEUR

Les problèmes qui demeurent juste sous la surface de notre conscience constituent les grumeaux de notre mélange. Ces blessures non guéries nous empêchent de franchir les limites de la personne que nous croyons être. C'est aussi la substance qui maintient notre histoire. Ces grumeaux peuvent paraître sans importance, mais ils sont souvent liés à des problèmes beaucoup plus profonds. Par exemple, lorsque j'étais au début de la vingtaine, je voulais vraiment être sportive. J'admirais les gens qui jouaient au tennis, qui skiaient et participaient à toutes sortes d'événements sportifs. Beaucoup de mes amis et de membres de ma famille étaient très sportifs, mais j'avais une croyance sous-jacente qui me disait que j'étais trop maigre et trop faible pour me joindre à eux. Puis, je me suis intéressée à un homme nommé Kevin, un joueur de tennis professionnel. Un jour, Kevin s'est enquis de la raison pour laquelle je ne jouais pas au tennis comme ma sœur et mon frère. Je me suis immédiatement lancée dans mon explication habituelle comme quoi on ne m'avait jamais encouragée à jouer au tennis parce que je n'avais pas le corps qu'il fallait. On m'avait dit que je n'étais pas assez forte et que je manquais de coordination et que ce sport serait plus difficile pour moi car je suis gauchère. Le regard interrogateur, Kevin m'a demandé quel âge j'avais lorsqu'on m'avait dit ce genre de choses. J'ai tenté de me souvenir de la première fois où j'avais entendu ce discours. L'image d'une petite fille de dix ans qui se sentait mal dans son corps m'est apparue. Je ressentais encore très bien ma sensation d'incapacité et la honte d'être exclue. Retenant les larmes provoquées par cette blessure émotionnelle, j'ai raconté à Kevin toutes les fois où j'étais restée sur le banc, croyant que mon corps était inadéquat. Ces souvenirs douloureux m'avaient hantée pendant des années, m'empêchant d'essayer de nouveaux sports et même de jouer au volley-ball à la plage. Kevin m'a écoutée attentivement avant d'ajouter avec un petit air charmeur : « Je crois que ton corps est tout à fait adéquat maintenant. Pourquoi n'irions-nous pas jouer ensemble ? » Mon premier réflexe a été de refuser, mais après quelques jours d'encouragement, j'ai accepté et j'ai alors frappé ma première balle de tennis. À ma grande surprise, j'ai appris tout naturellement. J'ai pris des leçons et, depuis, je joue au tennis.

En confrontant ce grumeau de mon mélange, cette blessure émotionnelle qui me disait que je n'avais pas de coordination et que je n'avais pas les qualités requises, j'ai vaincu les limites de cette histoire. Ce seul événement a fait remonter des milliers de souvenirs d'autres fois où je m'étais sentie trop maigre et trop fragile. Cela m'a permis de considérer toutes les fois où j'avais voulu être plus corpulente et plus forte. En confrontant cette blessure émotionnelle non guérie, toute la douleur que j'avais ressentie en tant que jeune femme qui se sentait comme une grande perche a émergé. J'ai même pleuré en évoquant ce que je considérais comme l'expérience la plus humiliante de ma vie. J'étais à la danse de fin d'année scolaire et je portais une robe en velours bourgogne que ma tante Laura avait cousue pour moi. Puis, Todd Halpren, un garçon très populaire, m'avait soulevée et déposée sur la scène au moment où la chanteuse prononçait ces paroles : « qui est cette fille aux jambes maigres ? ». J'étais toute honteuse et je n'ai jamais voulu remettre les pieds dans cette école.

Ma maigreur était ma pire calamité. J'ai même essayé de la camoufler en portant deux paires de shorts ou de pantalons. Je passais des heures devant le miroir, tentant en vain de modifier mon corps. Durant toute mon adolescence, je me suis perçue comme une Olive Oyle aux cheveux bouffants. Eh oui, j'ai eu les cheveux bouffants durant de nombreuses années, m'imaginant qu'ainsi je paraîtrais plus imposante. Pendant des années, je me suis torturée en croyant qu'avec un corps différent je serais mieux acceptée et que tout serait parfait. Maintenant que j'ai réglé ce « grumeau », j'ai découvert que ma souffrance m'a effectivement apporté des cadeaux. Puisque j'ai dû faire preuve de créativité pour trouver des styles de vêtements qui convenaient à ma petite stature, j'ai beaucoup appris sur la mode, les différents modèles et les couleurs. Déjà à treize ans, je travaillais dans des magasins de vêtements pour dames, où j'aidais les femmes à découvrir des styles qui avantageaient leur silhouette. J'excellais dans mon travail parce que je connaissais la douleur d'avoir un corps qui ne corresponde pas à ses désirs.

La mise au jour de tous mes traumas émotionnels m'a permis de créer une relation nouvelle avec mon corps. Au lieu de le détester en raison de sa maigreur et de sa faiblesse, j'ai pu accepter la grâce et l'agilité de mes os élancés. Cet ingrédient de ma recette m'a servi tout au long de ma vie adulte. Il m'a servi lorsque j'ai travaillé comme agente de formation dans les médias et comme imagiste-conseil. Et dans mes programmes d'encadrement, où je forme des gens à diriger des séminaires et à se présenter devant un public, j'encourage les participants à demeurer naturels pour éviter que leur style n'entrave leur message.

Nous créons une histoire autour de chaque événement de notre vie. Ces histoires fixent nos limites internes qui nous dictent ce que nous pouvons ou ne pouvons accomplir. Il nous faut prendre conscience que chacun de ces petits drames, chaque grumeau de notre mélange, taille sa place à l'intérieur de la grande histoire de notre vie. Je n'aurais jamais deviné que mon sentiment d'incapacité lié aux sports n'était qu'une pointe d'un iceberg et qu'il m'amènerait à découvrir et à résoudre un problème plus profond à propos de mon corps. Accepter la douleur du passé m'a permis de dépasser les limites de mon histoire et a apporté plus de joie dans ma vie.

OÙ SONT VOS « GRUMEAUX » ?

Nos blessures émotionnelles nous empêchent de sortir de notre histoire parce que la douleur agit comme une barrière invisible qui nous garde prisonniers. Au cours de notre vie, nous vivons des milliers d'expériences, mais seulement quelques-unes restent dans notre conscience, se répétant sans cesse. Ce sont les « grumeaux » de notre mélange. Ils sont parfois perceptibles et d'autres fois, dissimulés. D'une manière ou d'une autre, nous devons les trouver afin de les dissoudre.

Maintenant, prenez quelques minutes et fermez les yeux. Respirez profondément tout en vous demandant : « Quel événement de mon passé me fait encore souffrir, me met en colère ou fait naître du regret ? » Ce qui vous vient à l'esprit constitue un grumeau de votre mélange. Cela peut s'être produit deux jours ou vingt-deux ans auparavant. Si vous voulez utiliser votre histoire et non qu'elle vous utilise, vous devez intégrer tous ses aspects.

Les « grumeaux » de notre mélange ne sont rien de plus que des événements non résolus de notre passé. Une fois que nous avons découvert et accepté de quoi chacun est constitué, nous pouvons intégrer tous nos ingrédients dans notre recette. Cette intégration s'effectue spontanément lorsque nous découvrons les cadeaux de notre passé. Dans la noirceur de nos moments les plus douloureux se cachent les leçons que nous devons apprendre. L'intégration exige que nous considérions notre vie comme un outil d'apprentissage et que nous acceptions tout ce qui nous est arrivé. Quand nous sommes capables de voir notre passé comme un guide, cela signifie que tous les ingrédients de notre recette sont bien intégrés. Nous ne gaspillons alors plus de temps à nous demander pourquoi certaines choses nous sont arrivées et nous n'opposons plus de résistance à notre histoire. L'intégration amène la liberté. Nous pouvons enfin cesser d'essayer d'arranger, de modifier ou d'améliorer l'histoire de notre vie et faire plutôt un pas important vers le voyage qui nous attend à l'extérieur de ses limites.

DISSOUDRE LES « GRUMEAUX »

Lorsqu'Allie était âgée de huit ans et en deuxième année scolaire, un jour sa mère l'a reconduite à l'école. Avant de s'en aller, elle l'a serrée bien fort contre elle en lui disant qu'elle viendrait la chercher à quatorze heures. À la fin des classes, Allie s'est rendue à l'endroit où les parents venaient prendre leurs enfants et s'est vite trouvé un petit coin où elle attendait avec hâte de retourner à la maison après une longue journée passée à l'école. Allie a vu défiler les voitures, qui se remplissaient d'enfants, puis s'éloignaient. En vingt minutes, tous ses compagnons étaient partis et elle s'est retrouvée seule. Ne sachant pas quoi faire, elle a continué de surveiller la rue à la recherche de sa mère. Mais sa mère n'est jamais venue. Lorsque l'aire de stationnement a été complètement vide, Allie s'est sentie perdue et effrayée. Certaine que sa mère l'avait oubliée et ne sachant quoi faire d'autre, elle s'est mise à marcher vers sa maison. Gênée et honteuse d'avoir été oubliée, Allie marchait recroquevillée et la tête basse dans l'espoir que personne ne la reconnaisse.

Ce jour-là, Allie est arrivée à une conclusion qui l'a influencée pour le reste de sa vie. Elle a décidé que puisqu'on l'avait oubliée, il devait y avoir quelque chose qui n'allait pas chez elle. Cette conclusion est devenue son histoire. Allie a interprété l'absence de sa mère comme un rejet qui signifiait qu'elle n'était pas aimée. Après tout, a-t-elle raisonné, si elle avait été acceptée et si elle avait été normale, sa mère ne l'aurait jamais oubliée. Elle a aussi plus ou moins décidé qu'elle ne pouvait faire confiance aux gens. Vingt ans après cet événement, la douleur lui déchirait encore le cœur. Nous venions de découvrir un « grumeau » non intégré dans son mélange qui agissait encore sur elle et qui limitait le degré d'intimité qu'elle vivait dans ses relations personnelles et le niveau de responsabilité qu'elle se permettait d'accepter au travail. Allie voulait désespérément apprendre la leçon que lui enseignait cet incident douloureux — découvrir le cadeau qu'il renfermait — et poursuivre sa vie.

J'ai demandé à Allie d'énumérer par écrit tous ses comportements actuels qui étaient une conséquence de la conclusion qu'elle avait faite ce jour-là, c'est-à-dire qu'elle était une mauvaise fille sans importance. Je l'ai invitée à décrire toutes les façons dont cette conclusion avait influencé sa vie négativement. Voici sa liste :

Je fais toujours tout mon possible pour être gentille avec les gens et je fais tout ce que je peux pour les rendre heureux.

Je suis toujours la foule afin de ne pas être rejetée.

Je fais passer les besoins des autres avant les miens.

Je suis incapable de dire ce que je pense et ce que je ressens par crainte d'être rejetée.

Je laisse tout le pouvoir aux autres.

Je lui ai ensuite demandé si elle en voulait toujours à sa mère de l'avoir oubliée ce jour-là. Même si elle avait une bonne relation avec sa mère, Allie a pu s'apercevoir qu'elle ressentait encore de la rancœur à cause de cet incident. Elle s'est aussi rendu compte qu'elle rendait sa mère responsable des comportements inscrits sur sa liste. Allie avait passé des années en thérapie et à travailler sur elle-même et a été très étonnée de découvrir qu'elle rendait encore sa mère coupable. Je lui ai demandé ce que cela lui apportait de retenir cet incident. Lentement, elle a répondu : « Je suis ainsi certaine que je ne peux vraiment compter sur personne et que les gens ne sont pas là quand j'ai besoin d'eux. »

Pour Allie, la prochaine étape consistait à décrire toutes les fois où elle avait créé des scénarios semblables dans sa vie. Après tout, elle trouvait un certain confort dans l'affirmation que cette histoire était vraie. Allie a découvert que dans plus de cinq relations, elle avait réussi à se prouver qu'elle n'avait pas d'importance et que les gens ne lui accordaient pas d'attention. Elle connaissait très bien cette histoire familière. Elle l'avait répétée maintes et maintes fois, pas seulement dans le cadre de ses relations les plus importantes, mais aussi dans de moindres circonstances. Par exemple, elle avait refusé une promotion au profit d'une autre personne et laissait les gens passer devant elle dans les files d'attente. Chaque fois qu'on ne tenait pas compte d'elle ou qu'on la délaissait, non seulement Allie avait-elle la satisfaction d'avoir raison à propos de son insignifiance, mais elle pouvait aussi accuser sa mère une fois de plus. Vingt ans plus tard, après la perte d'un emploi et l'échec d'une autre relation, Allie était maintenant prête à intégrer cet incident avec toute la douleur qu'il transportait.

J'ai invité Allie à fermer les yeux, à se recueillir et à s'interroger sur ce qu'elle devait faire pour guérir les blessures de cet épisode. Elle voulait que sa mère lui écrive une lettre dans laquelle elle lui dirait à quel point elle était désolée et reconnaîtrait la souffrance qui avait été causée par son geste. Allie savait qu'il était possible que sa mère refuse, mais elle sentait qu'elle devait quand même le lui demander. Je lui ai expliqué que si sa mère n'acceptait pas son idée, elle pouvait elle-même écrire cette lettre en se plaçant dans la peau de sa mère. Allie a téléphoné à sa mère qui, même si elle se souvenait à peine de cet événement, a accepté de rédiger la lettre sachant que cela favoriserait la guérison de sa fille. Voici ce qu'elle a écrit :

Ma très chère Allie,

Je t'écris cette lettre pour m'excuser de l'incident dont tu m'as fait part lors de notre dernier entretien. Tu m'as révélé à quel point tu avais été blessée lorsque j'avais promis d'aller te chercher et que je n'étais pas venue. Je suis désolée que tu aies vécu cette expérience. J'aimerais pouvoir changer le passé, mais c'est impossible. Je ne peux imaginer toute la peur et le sentiment d'abandon que tu as ressentis et à quel point tu as dû être effrayée. Lorsque tu m'en as parlé, j'ai entendu dans ta voix toute la souffrance que tu as vécue.

J'aimerais te dire combien je suis désolée. Tu es tout pour moi. Je n'ai jamais voulu te faire de mal d'aucune façon. Je suis contente que tu aies partagé ce souvenir avec moi afin de pouvoir résoudre cet événement. J'espère que cette lettre puisse soulager une partie de ta douleur et t'aider à y mettre fin. Si je peux faire quoi que ce soit pour t'assister dans ta démarche, dis-le-moi. Je t'aime et j'assume l'entière responsabilité de cet incident. Pardonne-moi.

Maman, qui t'aime.

En lisant ces mots, Allie a pleuré des larmes de tristesse et de joie. Elle se sentait triste au souvenir de la petite fille seule et perdue, mais joyeuse de se percevoir comme une femme adulte qui guérissait les blessures de son passé.

Après l'épisode de la lettre, Allie était prête pour l'étape suivante où elle devait extraire la sagesse que lui offrait ce trauma. Une fois de plus, je l'ai invitée à se recueillir pour considérer ce qu'elle avait appris de cet incident. Allie m'a révélé qu'à cause de cet événement, elle avait décidé qu'elle ne voulait pas que les gens se sentent insignifiants ou rejetés. Elle était donc devenue une personne fiable sur qui ses amis et les membres de sa famille pouvaient compter. En me regardant, non pas comme une enfant boudeuse qui avait été blessée mais avec l'assurance d'une adulte, elle m'a dit : « Quand je dis que je serai là, j'y suis quoi qu'il arrive. Être présente pour les autres est une priorité dans ma vie. Je suis sensible à leurs besoins et j'essaie toujours de leur montrer qu'ils sont importants. » Je lui ai ensuite demandé comment ces qualités lui avaient été utiles dans la vie. Il lui a été facile de voir que sa chaleur et son attention avaient aidé de nombreuses personnes et l'avaient amenée à vouloir enseigner et s'occuper des enfants. Son engagement envers les autres est l'une des caractéristiques qu'elle aime le plus chez elle. En prenant conscience de ces dons, Allie a pu apprécier la sagesse et la valeur qu'elle avait acquises à partir du trauma qui l'avait hantée si longtemps. Je lui ai expliqué que son impression de ne pas être importante et d'être rejetée allait probablement se manifester encore puisqu'elle l'accompagnait depuis très longtemps. Il ne s'agissait pas de s'en débarrasser, mais de se montrer indulgente et compatissante envers elle-même lorsque cela surviendrait. Je lui ai assuré que si elle parvenait à s'aimer et à s'accepter même lorsqu'elle se sentait insignifiante et rejetée, elle serait en mesure d'utiliser la douleur dans sa recette. Toutes les deux étions d'accord sur le fait que les qualités qui découlaient de sa souffrance seraient essentielles dans son avenir.

LE PROCESSUS D'INTÉGRATION
ÉTAPE PAR ÉTAPE

J'ai utilisé avec Allie une démarche différente pour l'aider dans son passage de petite fille victime à femme investie de pouvoir, consciente de ses dons uniques. Ce processus fonctionne quels que soient les détails particuliers de l'histoire d'une personne.

1. *Mettez au jour le problème ou la blessure émotionnelle qui vous fait encore souffrir.* Il peut s'agir de quelque chose qui se passe dans votre réalité actuelle, par exemple une relation difficile ou un problème continuel avec votre corps ou vos finances. Cela peut être aussi un événement du passé qui vous donne encore l'impression d'être blessé ou une victime. Une fois que vous avez trouvé le « grumeau » de votre mélange, demandez-vous : « Quels sentiments cela soulève-t-il ? »

2. *Fermez les yeux et posez-vous cette question : « Quand par le passé ces mêmes sentiments se sont-ils manifestés ?* Quel événement de mon passé cela me rappelle-t-il ? » Laissez une scène de votre passé remonter à votre esprit et visualisez cet incident de façon la plus détaillée possible.

3. *Demandez-vous : « Quelle conclusion à propos de moi-même ai-je tirée de cet événement ?* » Le sens que nous attribuons aux événements de notre vie — et non les événements eux-mêmes — constitue la source de notre souffrance émotionnelle. Chacun de nous interprète différemment les événements et les circonstances de sa vie. Le sens que nous accordons à nos expériences détermine si elles nous donnent du pouvoir et nous font évoluer ou si elles nous paralysent.

   Vanessa et Emma sont des sœurs dont le père a quitté la famille lorsqu'elles étaient enfants. Vanessa, la plus jeune, était contente d'avoir sa mère à elle seule et appréciait le calme et la tranquillité qui régnaient à la maison quand ses parents ne se disputaient pas. Emma avait une vision complètement différente de la situation. Pour elle, le départ de son père signifiait qu'elle ne méritait pas l'amour et elle se sentait honteuse de ne pas avoir une famille traditionnelle. Cette situation n'a pas constitué de « grumeau » dans le mélange de Vanessa, mais pour sa sœur il en a été tout autrement. Lorsque vous mettez au jour la conclusion que vous avez faite à propos de vous-même, il est probable que vous découvriez qu'il s'agit d'un thème récurrent dans l'histoire de votre vie.

4. *Dressez la liste des comportements et des patterns récurrents qui ont résulté de votre conclusion.* Par exemple, si vous avez décidé que vous ne méritiez pas l'amour ni l'attention ou que vous n'étiez pas assez bon, pensez à d'autres expériences qui ont confirmé cette décision.

5. *Voyez à qui vous faites porter le blâme de la conclusion restrictive que vous avez faite à propos de vous-même et qui vous accusez de tout ce qui vous est arrivé en conséquence de cette conclusion.* Il vous faut considérer vraiment toutes les situations où vous avez réussi à vous prouver que vous aviez raison et que l'autre personne était à blâmer, de même que tous les moyens qui vous ont servi pour ce faire. À qui pensez-vous chaque fois que ce thème se répète et que vous vous engagez dans des comportements autodestruc-teurs ?

6. *Fermez les yeux et posez-vous la question   suivante :* « *Qu'est-ce qui pourrait guérir cette blessure ?* » Existe-t-il un rituel auquel vous pouvez vous adonner pour vous aider à éliminer la douleur que soulève cet incident ? Y a-t-il des paroles que vous devez dire ou que vous voudriez entendre ? L'écriture est un bon moyen de traiter les « grumeaux », que vous écriviez librement pour exprimer vos sentiments ou que vous adressiez une lettre à la personne concernée.

7. *Découvrez les cadeaux que cet incident vous a donnés.*
C'est la dernière étape du processus — et la plus importante. Faites la liste de tout ce que vous avez acquis et appris grâce à cet incident. Par exemple, si toute votre vie vos parents vous ont rabaissé et vous ont dit que vous étiez stupide, peut-être avez-vous pris la décision d'étudier fort, d'obtenir d'excellentes notes et de réussir sur le plan professionnel. Mais par la suite, au lieu de vous réjouir de vos accomplissements, peut-être êtes-vous toujours freiné dans la rancœur contre vos parents. Pour trouver le cadeau que vous a offert cette expérience, vous devez rechercher les connaissances et les leçons que cet incident vous a enseignées. Vous pouvez vous demander : « Quelle sagesse puis-je maintenant apporter au monde grâce à cet événement ? » Avoir eu des parents qui vous ont traité de stupide peut faire de vous une personne plus humaine envers vos enfants. Cela peut vous avoir incité à étudier fort, à obtenir une bonne instruction. Ces cadeaux — différents pour chacun de nous — peuvent se révéler de diverses façons. Reconnaître ces cadeaux est une étape importante du processus de guérison, parce que tant que nous ne voyons pas les bienfaits que nous apportent les événements négatifs de notre vie, ces expériences continuent d'avoir une emprise sur nous. Pour transcender notre histoire, nous devons extraire les cadeaux, les leçons et la sagesse de chaque événement qui nous a affectés de manière dramatique. Une fois que nous avons accepté ces événements, nous sommes en mesure d'intégrer tous les aspects de notre personnalité dans notre conscience. En acceptant aussi bien la souffrance que les cadeaux que nous ont procurés ces situations, nous percevons comment notre vie a été conçue en vue de la réalisation de notre but unique. Et

c'est à ce moment seulement qu'est dévoilée notre contribution dissimulée dans nos drames personnels.

Voici maintenant une autre histoire qui illustre le fonctionnement de ce processus. Tout en lisant, essayez d'en distinguer chacune des étapes.

Lorsque Natalie est venue me rencontrer, elle était en relation depuis six ans avec Jeff, un homme divorcé, sensible et attentionné. Même si Jeff possédait toutes les qualités qu'elle avait toujours recherchées chez un homme, Natalie se sentait en colère et repliée sur elle-même la majeure partie du temps qu'elle passait avec lui. Pour des raisons inconnues, même si Jeff la rassurait souvent sur son amour, Natalie avait toujours l'impression d'être moins importante pour lui que son fils, Jesse. Natalie m'a dit qu'elle pleurait souvent et qu'elle dépensait beaucoup d'efforts à disputer l'attention de Jeff à Jesse. Lorsqu'elle perdait — ce qui arrivait souvent — elle réagissait en boudant comme une enfant. Plusieurs fois, elle s'était retirée dans sa chambre quand Jesse venait à la maison. Et quand il n'était pas présent, Natalie enlevait toutes les photos le représentant, car c'était trop douloureux pour elle de reconnaître que Jeff aimait une autre personne.

Sachant que son problème actuel devait provenir d'une blessure émotionnelle antérieure, j'ai demandé à Natalie de fermer les yeux et de revenir à une autre époque de sa vie où elle avait senti qu'elle ne méritait pas l'amour qu'elle désirait. Elle m'a raconté que lorsqu'elle avait onze ou douze ans, sa mère avait fait une dépression nerveuse et avait été admise à l'hôpital. Durant l'absence de sa mère, son père l'avait couverte de cadeaux : des vêtements, du parfum et — le plus important — son attention. Même si sa mère lui manquait, pour la première fois de sa vie, elle se sentait profondément aimée et près de son père. Lorsque sa mère est revenue à la maison quelques mois plus tard, la réunion n'a pas été aussi joyeuse que l'avait prévue Natalie. Sa mère a commencé à lui demander pourquoi elle avait autant de nouveaux vêtements et de cadeaux. Il était évident que sa mère était fâchée que son mari lui ait accordé autant d'attention pendant son absence. Soudainement, ses parents se querellaient à cause d'elle et elle sentait que son père se désintéressait d'elle, mettant fin au lien serré qui les avait unis. La douleur de cette séparation était à ce jour encore présente chez Natalie. Je lui ai demandé quelle conclusion sur elle-même elle avait faite à partir du détachement de son père. Elle m'a répondu que, pour elle, cela voulait dire qu'elle n'était pas digne d'amour et qu'elle n'était pas assez importante pour qu'on lui accorde l'attention dont elle avait besoin.

Je l'ai ensuite invitée à établir la liste de toutes les répercussions négatives qu'avait eues cette conclusion dans sa vie. Voici sa liste :

Lorsque j'ai senti que mon père s'est séparé de moi, j'ai commencé à me vêtir de façon séduisante pour tenter désespérément d'attirer l'attention.

Je me mettais en colère quand l'homme avec qui je sortais prêtait attention à une autre femme, même s'il s'agissait de sa mère, de sa sœur, d'une serveuse ou d'une grande amie.

Depuis que je suis une jeune femme, j'ai besoin de contrôler les hommes qui sont dans ma vie. Je gère leur temps et je dois savoir où ils vont et avec qui ils sont.

Je me suis humiliée plusieurs fois en faisant des crises de jalousie et de rage quand je n'obtenais pas l'attention que je voulais.

J'étais si peu sûre de moi que j'ai mis fin à des relations avec des hommes merveilleux parce que je ne sentais pas qu'ils faisaient de moi la personne la plus importante dans leur vie.

Natalie a pu facilement voir comment cet incident et les conclusions qu'elle en avait tirées avaient influencé toutes ses relations amoureuses. Je lui ai proposé de fermer les yeux et de tenter de voir qui elle accusait par ses comportements. Immédiatement, elle a répondu : « ma mère ». Natalie était surprise de cette réponse parce qu'elle avait toujours eu l'impression de blâmer son père de son détachement. Toutefois, Natalie pouvait maintenant voir qu'elle rendait sa mère responsable du détachement de son père, réalisant que cette dernière avait dû le pousser à choisir entre elles deux. Natalie s'est rendu compte que chaque fois qu'elle faisait une crise de jalousie, chaque fois qu'elle sabotait une relation, elle pointait du doigt sa mère décédée et disait : « Tu vois ce que tu m'as fait ? C'est de ta faute. » En pleurant, Natalie m'a révélé que sa mère avait été dans le coma avant de mourir. Un soir, elle s'était réveillée et avait regardé autour d'elle. Natalie s'était précipitée à son chevet pour lui tenir la main et avait dit : « je t'aime, maman ». Sa mère avait alors prononcé son dernier mot : « vraiment ? ». Natalie pleurait en me racontant que ce mot l'avait hantée pendant vingt-cinq ans. Je lui ai demandé quel sens elle lui avait attribué et elle m'a dit que ce « vraiment ? » signifiait pour elle « et puis après ? ». Mais cette fois, au souvenir de ce mot de sa mère, elle lui a donné un nouveau sens : « comment peux-tu m'aimer encore ? ».

J'ai invité Natalie à se recueillir pour voir ce qui pourrait l'aider à résoudre cet incident, à dissoudre ce « grumeau » qui lui avait causé tant de peine. Je l'ai aussi encouragée à consacrer autant de temps que possible à écrire sur cet événement, afin de faire surgir d'autres souvenirs et sentiments devant être guéris. Lorsque nous nous sommes revues quelques jours plus tard, Natalie m'a dit qu'un jour, en écrivant dans son journal, elle a réalisé que sa mère n'était pas une personne haineuse ou qui recherchait la vengeance, mais plutôt une femme méprisée, peu sûre d'elle-même, dont le père avait été un coureur de jupon infidèle. Natalie avait été en thérapie pendant vingt-cinq ans à travailler sur ses problèmes avec son père, croyant que c'était son amour qu'elle désirait désespérément. Elle rejouait la même scène du passé, tentant inconsciemment de capter l'attention de son père par l'intermédiaire de Jeff et des autres hommes. En intégrant cette expérience, Natalie a pu voir que pendant tout ce temps, c'était l'amour de sa mère qu'elle recherchait. Soudain, Natalie a perçu la jalousie de sa mère sous un éclairage différent. Sa mère voulait simplement de l'amour et de l'attention, tout comme elle. Cette prise de conscience a fait jaillir d'autres larmes. Cependant, cette fois ce n'étaient pas les larmes d'une petite fille trahie par sa mère, mais des larmes de compassion et de véritable compréhension. Lorsque j'ai demandé à Natalie si elle avait songé à un rituel de guérison à effectuer avec sa mère, elle m'a dit qu'elle avait eu une idée en regardant de vieilles photos. Son rituel consistait à examiner une photo de sa mère chaque soir avant d'aller au lit et d'imaginer qu'elle la serrait dans ses bras. Puis, elle prononçait les mots que sa mère avait toujours voulu entendre : « Je t'aime, maman. Tu es importante et aimable. » En s'engageant à aimer sa mère et à lui pardonner, Natalie a pu découvrir qu'elle était capable de se materner elle-même.

À l'étape finale du processus, Natalie devait découvrir les cadeaux que lui avaient apportés les derniers mots de sa mère et dévoiler la sagesse qui se trouvait à l'intérieur de sa croyance sous-jacente qu'elle ne méritait pas d'être aimée. Le cadeau principal que Natalie a découvert était que la douleur de sa propre enfance l'avait motivée à devenir spécialiste de la thérapie familiale. Ses problèmes non résolus avec ses parents lui avaient prodigué la compréhension et la compassion dont elle avait besoin avec ses clients. Ses difficultés avec le fils de Jeff lui avaient permis d'être un bon guide pour les familles reconstituées et de les aider à créer des relations saines et satisfaisantes. Et parce qu'elle connaissait si bien la douleur de ne pas posséder l'amour inconditionnel de sa mère, Natalie savait parfaitement comment montrer aux autres des façons de se materner eux-mêmes et de satisfaire leurs propres besoins.

● ● ●

Au début, le processus d'intégration peut sembler pénible car la plupart d'entre nous traînons de nombreuses douleurs du passé, que nous n'avons jamais examinées. Mais en faisant cette démarche avec des milliers de personnes, j'ai découvert que si nous sommes prêts à résoudre d'abord les incidents les plus traumatisants, les traumas secondaires et les problèmes moins graves disparaissent souvent du même coup. Nous nous apercevons souvent que bon nombre de nos épisodes les plus traumatisants sont liés à un événement capital qui nous a amenés à une conclusion principale à propos de nous-mêmes. Cette conclusion a façonné l'histoire de notre vie. À cet instant, nous avons créé l'une de nos plus importantes croyances sous-jacentes, qui s'est répétée tout au long de notre vie.

Puisque chacun de nous a une contribution unique à offrir — différente de celle des autres — nous seuls pouvons trouver notre trésor intérieur. Cette contribution n'est perceptible que lorsque nous sommes prêts, lorsque nous avons accepté tous les éléments de notre histoire personnelle, lorsque nous avons cessé de blâmer les autres des circonstances de notre vie. Guérir les blessures de notre passé est un processus sacré. Il s'agit du moment où nous décidons de sortir de nos drames, de l'étroitesse de notre individualité et de voir l'aspect sacré de notre existence. En retirant de la sagesse de nos blessures émotionnelles, nous nous libérons de notre passé et nous sommes en mesure de comprendre une chose très étonnante : notre but divin dans la vie.

ACTIONS REQUISES POUR LA GUÉRISON

L'exercice suivant est essentiel pour nous réconcilier avec notre passé et découvrir les cadeaux que dissimulent les événements douloureux de notre vie. Il est primordial que vous prêtiez toute votre attention au processus. Réservez-vous au moins une demi-heure. Créez une atmosphère propice à un profond travail intérieur. Ayez votre journal personnel et un crayon à portée de la main. Et n'oubliez pas : toutes les réponses dont vous avez besoin se trouvent en vous. Demeurez calme et vous les entendrez.

Lorsque vous êtes prêt, fermez les yeux et aspirez lentement et profondément cinq fois afin de détendre votre corps et d'apaiser votre esprit. Lisez les questions une à la fois. Puis, fermez les yeux et laissez la réponse surgir du plus profond de vous-même. Quand la réponse a émergé, ouvrez les yeux, inscrivez-la dans votre journal personnel et passez à la question suivante.

Quel incident de mon présent ou de mon passé provoque encore de la douleur, de la colère ou du regret ?

Quels sont les sentiments qui émergent dans cette situation ?

Quand ai-je ressenti les mêmes sentiments par le passé ?

Quel événement de mon passé cela me rappelle-t-il ?

Quelle conclusion à propos de moi-même ai-je tirée de cet événement ? Qu'est-ce que j'ai cru à propos de moi-même ?

Comment cette conclusion a-t-elle influencé ma vie de façon négative ?

À qui fais-je porter le blâme de cette conclusion et de tout ce qui m'est arrivé en conséquence de celle-ci ?

Que devrait-il se produire pour que cet incident soit réglé ? Y a-t-il quelque chose que je peux dire ou faire pour y mettre fin ?

Qu'ai-je acquis et qu'ai-je appris grâce à cet événement ?

Quelle sagesse puis-je maintenant transmettre au monde après avoir vécu cette expérience ?

Contemplation

« Chaque événement douloureux de ma vie m'a apporté de merveilleux cadeaux. Je les découvre aisément. »

Chapitre 7

FAIRE LA PAIX AVEC VOTRE HISTOIRE

A fin de nous affranchir des limites de notre histoire, il nous faut renoncer au confort du cocon que nous nous sommes fabriqué. On m'a déjà raconté l'histoire d'une jeune fille qui demande à une vieille sage : « Comment devient-on un papillon ? » Avec une lueur dans les yeux et un grand sourire, celle-ci répond : « Il faut tellement vouloir voler qu'on est prêt à ne plus être une chenille. » Sortir du cocon de notre histoire est souvent un processus lent et pénible. Cependant, dès que nous en sommes libérés, notre âme connaît la joie de la liberté spirituelle et émotionnelle. Afin de nous libérer de notre histoire, nous devons d'abord apprendre à l'aimer, à la respecter et à la chérir pour toutes les façons dont elle a contribué à faire de nous ce que nous sommes. Nous devons reconnaître les expériences que nous avons vécues et la sagesse qu'elles nous a prodiguée. C'est seulement à ce moment que nous serons en mesure de faire la paix avec notre histoire et de la dépasser afin de satisfaire nos désirs les plus profonds.

Je suis toujours étonnée par les rancœurs persistantes que nous maintenons contre nous-mêmes. Pourquoi nous blâmons-nous continuellement à propos d'événements qui se sont passés il y a dix, vingt ou trente ans ? Pourquoi sentons-nous que nous ne méritons pas d'être complètement sauvés ou pardonnés de nos anciens péchés ? J'ai passé des années à réfléchir à cette question. J'ai vu des gens qui se sabotaient constamment, se privant de tout ce qui est vraiment important et de ce qui pourrait nourrir leur âme. Est-il possible que, d'une certaine façon, nous tentions continuellement de nous tuer — peut-être pas toute notre personne, mais une partie sombre et affreuse de nous-mêmes, les aspects et les incidents qui nous font honte ? Le caractère destructeur de l'auto-accusation et de la haine de soi se remarque partout dans notre société. La dépendance, la violence, les mauvais traitements et la non-réalisation de soi sont omniprésents dans notre monde.

SE PARDONNER À SOI-MÊME

J'ai passé de nombreuses années dans le milieu de l'autothérapie, d'abord à travailler sur moi-même, puis en tant que guide pour les autres. J'ai fini par comprendre que le secret de la guérison se trouvait dans le pardon que l'on s'accorde à soi-même. Il n'y a vraiment rien de plus essentiel pour le processus de guérison. Tant que nous ne faisons pas la paix avec nous-mêmes et tant que nous ne nous pardonnons pas tous les aspects de notre vie et de notre histoire, nous continuons d'utiliser notre passé pour nous faire du mal et saboter les rêves qui nous tiennent le plus à cœur. Nous réussissons à nous pardonner lorsque nous nous abandonnons à la vulnérabilité de notre condition humaine et que nous trouvons de la compassion pour nos propres luttes intérieures. Lorsque nous réussissons à nous pardonner, nous arrivons à comprendre pourquoi nous sommes tels que nous sommes, pourquoi nous avons telles croyances et pourquoi nous ressentons tels sentiments. Mon ami, Sarano Kelly, l'auteur du livre The Game, affirme : « Avec la compréhension arrive le changement. » Tant que notre histoire nous rend malheureux, tant que nous n'avons pas tout fait pour comprendre à quoi elle sert, nous sommes éternellement ramenés dans les limites de nos petits drames. Lorsque nous nous pardonnerons complètement et que nous accepterons notre histoire, nous pourrons extraire toute la sagesse qu'elle contient. Ce n'est qu'à ce moment que nous serons libres, à l'extérieur des limites établies par notre histoire et ses croyances sous-jacentes.

RÉSOUDRE LES PROBLÈMES NON RÉGLÉS

Tant que nous ne nous sommes pas accordé le pardon, nous ne pouvons manifester notre moi le plus extraordinaire et vivre la vie dont nous rêvons. Comment pouvons-nous sentir que nous méritons l'amour, le succès, l'abondance et une santé parfaite quand notre histoire nous rappelle constamment que nous avons des défauts, que nous sommes insignifiants et indignes ? Comment pouvons-nous nous éveiller le matin en appelant vers nous le meilleur que l'univers a à offrir lorsque nous nous reprochons notre égoïsme et nous sentons coupables d'avoir abandonné une relation ? Comment pouvons-nous recevoir librement la grâce divine en sachant que dans le passé nous avons volé notre frère ou agressé sexuellement notre sœur ? Comment pouvons-nous nous respecter en sachant que nous n'écoutons jamais les appels de notre voix intérieure ? Nos problèmes non réglés sont la source de notre culpabilité. Layne et Paul Cutright, dans leur livre intitulé Straight from the Heart, écrivent : Un esprit coupable s'attend à être puni. La culpabilité attirera vers vous des gens et des situations qui valideront vos pensées coupables non résolues. » La culpabilité provient du manque d'écoute envers soi-même, de choix qui vont à l'encontre de nos croyances primordiales, de la déception que nous causons à ceux que nous aimons et de comportements qui nous semblent égoïstes. Notre culpabilité vient de notre croyance d'avoir fait quelque chose de mal. Ainsi, nous craignons d'attirer la punition que nous sommes sûrs de mériter. Tant que nous n'avons pas réglé les problèmes de notre passé, nous nous punissons inconsciemment en nous refusant l'amour, le succès et l'abondance que nous désirons.

FAIRE LA PAIX AVEC VOTRE JUGE INTÉRIEUR

Tant que nous n'aurons pas fait la paix avec notre juge et notre jury intérieurs, nous refuserons de recevoir le pardon divin. Notre juge intérieur sait distinguer le bien et le mal. Imaginez que sous la surface de notre conscience se trouve une énorme balance représentant la justice et qui connaît le meilleur de nous-mêmes. J'aime concevoir ce savoir interne comme une balances karmique qui sait lorsque nous nous causons des blessures ou en infligeons aux autres. Nous devenons alors déséquilibrés. Notre balance karmique représente notre savoir intérieur, notre sens de l'intégrité — la partie de nous qui distingue le bien et le mal. Le juge intérieur tient notre balance interne et nous aide à respecter l'intégrité de l'esprit humain. Nous avons tous fait l'expérience de traverser les limites de notre savoir interne. Nous avons tous déjà entendu la voix de notre intuition et décidé de ne pas l'écouter afin de pouvoir rester à l'intérieur de notre histoire et poursuivre notre petit train-train habituel. Cependant, chaque fois que nous ne tenons pas compte de nos intuitions, chaque fois que nous n'écoutons pas notre voix intérieure, chaque fois que nous suivons notre tête et non notre cœur, nous ne respectons pas notre moi le plus profond. Ces fautes déséquilibrent notre balance karmique et nous tiennent enfermés dans nos drames. Tant que nous n'apprenons pas à respecter le caractère sacré de notre savoir intérieur et de notre intuition, nous créons de la souffrance qui doit nous ramener sur la voie de notre moi le plus élevé. Imaginez qu'à l'intérieur de l'ensemble appelé « vous », il y a un système d'exploitation qui sert à vous maintenir à votre plus haute expression. Ce système d'exploitation est votre guide ; il vous dit quand vous êtes sur la bonne voie et quand vous déraillez. Il vous aide à manifester votre moi le plus extraordinaire. C'est votre guide personnel ; sa seule préoccupation est de réaliser votre mission et de vous aider à offrir vos dons au monde.

Comment se fait-il que nous en arrivions à nous couper de ce système de guidage ? Comment en arrivons-nous à nous séparer du courant universel d'intelligence qui coule si naturellement en nous ? À un certain moment de notre vie, on nous a dit que nos sentiments n'étaient pas importants. On nous a peut-être même avertis que si nous continuions à écouter nos besoins et nos appels intimes, nous serions dépossédés de notre famille, séparés de ceux que nous aimons. Ces messages mitigés nous rendent confus et, peu à peu, nous commençons à douter de nous-mêmes et de notre propre savoir. Au lieu de faire confiance à notre vérité personnelle, nous nous coupons inconsciemment de notre système d'exploitation interne. Graduellement, nous perdons le contact avec notre propre sens du bien et du mal. Puisque nous ne sommes plus branchés à la lumière intérieure qui nous guide, nous décidons de suivre nos parents ou d'autres personnes qui nous paraissent réussir leur vie. Puis, nous finissons par délaisser complètement notre propre voix intérieure afin de nous sentir acceptés.

LES CRIMES CONTRE NOUS-MÊMES

Beaucoup parmi nous se sentent inspirés et réagissent lorsqu'ils sont témoins de crimes dans le monde. Dès qu'une personne se fait voler, violer ou agresser, nous percevons l'injustice. Mais il est plus difficile de voir les crimes que nous perpétrons contre nous-mêmes, car cela se fait de façon apparemment sans importance et imperceptible. Nous commettons un crime contre nous-mêmes lorsque nous ne nous écoutons pas, lorsque nous ne faisons pas confiance à notre instinct et lorsque nous ne réclamons pas ce que nous voulons. Nous commettons un crime contre nous-mêmes lorsque nous cessons de rêver, lorsque nous ne prenons pas soin de nous et lorsque nous ne faisons pas de notre vie intérieure notre priorité. Nous commettons un crime contre nous-mêmes chaque fois que nous ne reconnaissons pas nos acquis venant de nos efforts acharnés et que nous nions nos dons spéciaux. Nous commettons un crime contre nous-mêmes lorsque nous choisissons de mettre davantage l'accent sur nos défauts plutôt que sur notre beauté. Nous commettons un crime contre nous-mêmes lorsque nous ne nous accordons pas les nourritures dont nous sommes affamés, lorsque nous prenons de mauvaises décisions et lorsque nous ne nous pardonnons pas notre situation présente. Nous commettons un crime contre nous-mêmes lorsque nous refusons de nous témoigner de la compassion pour nos erreurs passées, lorsque nous passons plus de temps à écouter les commentaires négatifs de notre radio invisible que l'amour de notre cœur. Nous commettons un crime contre nous-mêmes lorsque nous recherchons ce qui est mal plutôt que ce qui est bien. Nous commettons un crime contre nous-mêmes lorsque nous n'accomplissons pas ce qui nous apporte de la joie. Nous commettons un crime contre nous-mêmes lorsque nous restons dans notre univers étroit.

Notre moi conscient ne remarque pas la plupart des crimes que nous commettons contre nous-mêmes. Par contre, notre âme sait parfaitement quand nous nous éloignons de notre système de guidage interne. J'ai déjà dirigé un séminaire où je demandais aux participants d'énumérer toutes les façons dont ils se trahissaient dans chaque domaine de leur vie. Voici le résultat :

Nous commettons un crime contre notre corps lorsque :

nous mangeons trop ;

nous mangeons de la nourriture qui ne nous convient pas ;

nous ne respectons pas notre régime alimentaire ;

nous ne faisons pas l'exercice physique que nous voulions faire ;

nous ne prenons pas assez de temps pour nous reposer et nous amuser ;

nous l'agressons avec des cigarettes, de l'alcool ou des drogues ;

nous nous critiquons en nous regardant dans le miroir ;

nous accordons plus d'attention à nos défauts qu'à notre beauté ;

nous n'écoutons pas les signes qu'il nous envoie ;

nous prêtons attention à notre dialogue intérieur négatif.

Nous commettons un crime contre nous-mêmes dans nos relations lorsque :

nous restons avec des personnes qui nous agressent physiquement ou sur le plan des émotions ;

nous accomplissons des choses que nous ne voulons pas faire pour ou avec des amis ;

nous avons des relations sexuelles sans le désirer ;

nous nous privons de l'intimité que nous désirons ;

nous ne respectons pas les ententes et les engagements que nous avons pris ;

nous racontons des ragots sur les autres ;

nous prétendons aimer des gens que nous n'aimons pas ;

nous ne passons pas de temps avec les personnes que nous aimons ;

nous ne communiquons pas nos sentiments ;

nous dépassons nos limites ou compromettons notre intégrité ;

nous faisons passer les besoins des autres avant les nôtres.

Nous commettons un crime contre notre sécurité financière lorsque :

nous dépensons plus d'argent que nous n'en gagnons ;

nous nous rendons à la limite de notre crédit ;

nous émettons des chèques sans fonds ;

nous mentons à propos de nos revenus ;

nous n'épargnons pas d'argent ;

nous dépensons sans compter ;

nous volons ;

nous ne remboursons pas nos dettes ;

nous payons nos comptes en retard.

La plupart d'entre nous tentons de nous transformer tout en continuant de perpétrer des offenses contre nous-mêmes. Nous croyons qu'en assistant à un autre séminaire, en lisant un autre livre, ou simplement en ayant des pensées joyeuses, nous n'aurons pas besoin de nous débarrasser de tous les crimes que nous commettons contre nous-mêmes. Nous pouvons lire des milliers de livres d'autothérapie, méditer tous les jours, nous asseoir aux pieds d'un gourou, mais si nous utilisons la sagesse que nous avons acquise uniquement pour nous rabaisser et diminuer notre mérite, nous commettons un crime contre nous-mêmes. Chaque fois que nous nous regardons dans le miroir et que nous ne voyons qu'une partie de nous-mêmes, chaque fois que nous passons plus de temps à écouter notre radio invisible — notre discours intérieur inconscient — au lieu de reconnaître notre splendeur, nous commettons un crime contre nous-mêmes. Quand nous arrêterons-nous ? Quand verrons-nous que nous sommes devenus nos propres agresseurs et que seuls nous-mêmes pouvons mettre fin à la violence intérieure ?

LES CRIMES SUBTILS

Comme elle le fait chaque matin, Wendy s'est levée en prenant la résolution de bien se nourrir. Elle s'est engagée particulièrement à ne pas manger de pain ni de sucre, deux aliments qui ne lui conviennent pas. Elle a tenu sa résolution toute la matinée et même à l'heure du lunch. Mais dans l'après-midi, lorsque ses compagnons de travail ont apporté des petits gâteaux pour célébrer un anniversaire, Wendy, se disant qu'il serait impoli de refuser, en a mangé un. Immédiatement, elle a reconnu au creux de son estomac cette sensation familière d'avoir flanché qu'elle avait peine à endurer. Avec résignation, elle a mis de côté son engagement envers elle-même et s'est fait croire que son geste n'avait pas d'importance. En revenant à la maison, elle se sentait lourde, sans énergie et coupée d'elle-même. Ce soir-là, en méditant, Wendy a pris conscience qu'en ne respectant pas son régime alimentaire, elle commettait un crime contre elle-même.

Emily a mis ses enfants au lit après une longue journée stressante. « Je vous promets que nous allons bien nous amuser demain », leur a-t-elle murmuré en les embrassant. En sortant de leur chambre, elle pensait à des façons de rendre la journée du lendemain spéciale. Elle s'est promis de ne pas regarder son téléroman et d'accorder à ses enfants toute son attention, à moins qu'ils ne décident de faire une sieste. Le lendemain, vers quatorze heures, Zachary et Alice ne semblaient pas vouloir faire de sieste et Emily s'est sentie de plus en plus impatiente et irritée. Son engagement à passer une journée agréable avec eux a vite été oublié et Emily s'est retrouvée dans sa chambre en train d'écouter son téléroman, tandis que ses enfants pleuraient à ses pieds. Ses espoirs de belle journée s'étaient évanouis et tous les trois étaient de mauvaise humeur.

Ce même soir, dérangée par la tournure de la journée, Emily s'est recueillie pour se demander : « Que puis-je faire pour passer une meilleure journée avec mes enfants, demain ? » À cet instant, elle a cerné le malaise qui s'était construit en elle depuis quelques semaines. Emily avait besoin de plus de temps pour elle-même. Son enfant intérieur réclamait du temps pour qu'elle s'occupe de lui. Elle s'est rendu compte que de prendre soin de deux enfants toute la journée en négligeant ses propres besoins constituait un crime contre elle-même. De plus, en manquant d'intégrité envers elle-même, elle avait tendance à se défouler de ses frustrations sur ses enfants. Elle a vu que pour apporter de l'équilibre dans sa famille et dans sa vie personnelle, elle devait s'accorder du temps. Elle a eu la bonne idée de partager la garde des enfants avec une autre mère du quartier. Une fois qu'elle a obtenu le temps dont elle avait besoin, Emily a pu rester présente à ses enfants et tenir ses promesses. En respectant son intégrité et sa vérité la plus profonde, Emily a pu faire un choix qui l'a fait sortir des limites de son histoire.

Nos crimes contre nous-mêmes se dissimulent parfois de manière subtile. Peut-être êtes-vous même en train d'essayer de trouver des façons de réduire l'impact de ce que vous lisez maintenant. Arrêtez-vous pour y penser. Êtes-vous en train de nier cette vérité ? Êtes-vous en train de vous dire qu'elle ne s'applique pas à vous ? Restez attentif au cours des prochains jours afin de découvrir quels crimes vous perpétrez contre vous-même. Désirez-vous examiner l'ampleur des dommages que vous créez quotidiennement ? Commettez-vous constamment des offenses contre vous-même au nom de votre histoire ? C'est votre vie. Vous seul avez le pouvoir de la changer. Voici votre chance de creuser en vous. Vous pouvez considérer le passé et vous apercevoir que vous êtes demeuré dans le cocon de votre histoire, à aborder votre douleur uniquement en surface, ou vous pouvez considérer le passé et vous apercevoir que vous vous êtes posé des défis, que vous avez dit la vérité, pris des responsabilités et agi en respectant la personne que vous désirez être.

ÉQUILIBRER LA BALANCE KARMIQUE

Reconnaître les crimes commis contre soi est la plus belle intervention que nous puissions faire pour nous-mêmes et les autres. Ce geste restaure notre intégrité et constitue une étape essentielle pour faire la paix avec notre histoire. Il est important que nous reconsidérions notre passé avec l'intention de rectifier nos torts, c'est-à-dire équilibrer notre balance karmique. Cela signifie de demander pardon aux personnes que nous avons blessées, trompées ou trahies d'une quelconque façon, à qui nous avons menti.

Je savais que pour guérir mes blessures et faire la paix avec ma vie, je devais réparer tous les dommages que j'avais causés en moi-même, dans mes relations, dans l'univers. Je voulais tellement pouvoir me sentir bien — non seulement dans le présent mais aussi par rapport au passé — devant moi-même et les autres. Au fil des ans j'avais déçu, fâché et blessé de nombreuses personnes. J'avais aussi commis bien des crimes contre la nature, les institutions et diverses personnes. J'ai commencé à faire le ménage de mon passé dans un programme en douze étapes, où j'ai appris que je devais demander pardon à ceux que j'avais blessés. Au début, cette idée me semblait pénible. Comment procéder ? La simple pensée d'aller rencontrer une personne pour lui avouer que je lui avais menti ou que je l'avais volée me faisait trembler de honte. C'était étrange : je pensais être à l'abri de ce que les autres pensaient à propos de moi puisque j'avais rarement des regrets, mais devant ce projet qui consistait à faire le ménage de mon passé, j'étais paralysée par la honte et la peur. Ma liste de victimes me paraissait trop longue, mais sachant que je ne pourrais jamais me sentir bien jusqu'à ce que je répare mes torts, j'ai réuni le courage d'expier les crimes que j'avais commis contre les personnes que j'avais blessées. Le plus difficile a été d'affronter mes anciens employeurs et les amis de ma famille. Toutefois, en les rencontrant un à la fois, j'ai été capable de dire que j'étais désolée, j'ai pu rembourser l'argent que je devais et reconnaître mes anciens torts. Peu à peu mon estime de moi-même s'est reconstruite et j'ai miraculeusement commencé à me sentir bien à l'intérieur. Cela m'a permis de faire la paix avec mon histoire. Chaque pardon demandé desserrait la chaîne qui m'avait rattachée au drame de mon passé.

En ne basant pas notre vie sur l'intégrité, notre transformation se construit à partir d'un mensonge. Si nous voulons vivre la vie de nos rêves, il nous faut une base solide sur laquelle bâtir ce que nous sommes. Chaque fois que nous délaissons notre intégrité, nous plaçons un mur entre nous et les autres, de même qu'entre nous-mêmes et la vie de nos rêves. Dans tous les domaines de notre vie, lorsque nous cessons d'agir avec intégrité ou que nous violons nos règles intérieures, nous nous coupons de notre pouvoir et de notre capacité de créer ce que nous voulons. Cheryl Richardson, l'auteure de Life Makeovers, affirme : « Nous avons tous différents ensembles de règles intérieures qui constituent notre intégrité. La plupart des gens ne se rendent pas compte à quel point cela demande de l'énergie que de vivre à l'extérieur de ces règles. Lorsque nous restaurons notre intégrité, nous libérons d'énormes quantités d'énergie que nous pouvons utiliser dans notre vie actuelle. »

Nos problèmes d'intégrité non résolus se trouvent au cœur de notre autodestruction. Dans la mesure où nous nous sentons déséquilibrés dans notre monde intérieur, nous n'arrivons pas à satisfaire nos désirs dans le monde extérieur. Notre aversion envers nous-mêmes appelle, de l'univers, des gens et des événements qui nous renvoient nos sentiments les plus profonds à propos de nous. N'oubliez pas ceci : notre monde extérieur est le reflet de notre monde intérieur. Le contraire est aussi vrai : lorsque nous sommes en harmonie intérieurement, nous sentons que nous méritons tout ce que nous désirons. Nous attirons des gens et des événements qui favorisent la satisfaction de nos désirs les plus chers, car lorsque nous nous sentons en équilibre intérieurement et bien dans notre peau, le monde entier nous renvoie ces bons sentiments. En ne réglant pas nos problèmes d'intégrité, nous continuons d'alimenter le discours de notre radio invisible. Tant que nous ne possédons pas l'intégrité, nous ne nous sentons pas dignes de réaliser la vie qui nous comblera.

LA RÉSOLUTION KARMIQUE

La résolution karmique est le processus qui consiste à restaurer notre intégrité. Nous y parvenons lorsque nous avons réparé nos torts. La résolution karmique nous ouvre la voie pour transcender notre histoire et nous donne accès à l'amour de soi que nous méritons.

La résolution karmique est le processus de guérison de notre relation avec nous-mêmes, les autres et le monde. Nous devons prendre soin de ne pas aborder cette démarche en nous demandant : « Quel est le minimum que je puisse faire pour me tirer d'affaire ? » ou « Comment puis-je rétablir ma réputation aux yeux des personnes concernées ? » Nous devons plutôt chercher le geste qui restaurera notre intégrité en nous-mêmes. Nous devons nous poser cette question : « Que puis-je faire pour équilibrer ma balance karmique ? » Et nous devons être prêts à entendre la réponse qui vient de l'intérieur. Je vous promets que si vous entreprenez le projet de restaurer votre intégrité, vous recevrez davantage d'amour, de paix et de liberté que vous ne pouvez l'imaginer. Lorsque notre balance karmique est en équilibre, nous nous ouvrons naturellement à de nouveaux degrés d'estime de soi et de mérite. Ce n'est qu'à ce moment que nous nous sentons suffisamment dignes de manifester nos plus profonds désirs et de jouir de l'abondance de l'univers.

Tant que nous éprouvons de la culpabilité et du regret, nous ne pouvons voir notre magnificence. Jordan, un promoteur immobilier de trente-cinq ans, a grandi dans la rue et a appris très tôt à se débrouiller par lui-même. Même s'il était devenu plus riche qu'il ne l'avait jamais souhaité, Jordan était toujours hanté par les bêtises qu'il avait commises dans sa jeunesse et il avait passé quinze ans à essayer en vain de faire la paix avec son passé. Il avait assisté à des séminaires et à des ateliers pour hommes et avait tenté d'obtenir le pardon en se montrant extrêmement généreux avec ses amis et sa famille. Jordan savait tout ce qu'il fallait dire et connaissait tous les mantras pour s'absoudre temporairement de la culpabilité, mais dans le calme de la nuit, il se sentait toujours mal. Jordan était intelligent, cultivé et instruit et cela le tiraillait de ne pouvoir résoudre son passé. Un message jetait une ombre sur ses accomplissements : je ne mérite pas tout cela. Même s'il connaissait très bien le thème de son histoire et les limites qu'il lui imposait, il luttait pour vivre à l'extérieur de son drame personnel. J'ai suggéré à Jordan que nous recherchions ensemble ce qu'il avait fait dans le passé qui le rendait encore malheureux. Je lui ai expliqué que même si notre esprit pouvait oublier nos méfaits, notre cœur s'en souvenait.

Même s'il désirait se libérer de sa culpabilité, Jordan avait peine à croire que ses anciens écarts de conduite puissent influer sur son présent. Il avait l'impression d'être devenu une bonne personne, même s'il avouait avoir fait preuve d'arrogance et de négligence par le passé. Je lui ai expliqué que jusqu'à ce que nous rectifiions nos erreurs, nous continuons de nous maltraiter et d'attirer des expériences qui reflètent les sentiments négatifs que nous nourrissons à notre égard. Notre savoir interne exige que nous rééquilibrions ce que nous avons transgressé. J'ai averti Jordan que tant qu'il ne pourrait regarder dans les yeux chaque personne à qui il avait causé du mal, quelque part en lui il sentirait qu'il n'était pas une bonne personne et qu'il ne méritait pas l'amour et le pardon. Il n'allait jamais se libérer de son drame personnel.

Avec courage, Jordan a accepté d'explorer son passé dans l'intention de résoudre tout ce qui avait été laissé en plan. Je l'ai invité à fermer les yeux et à rechercher en lui un incident qui n'était pas encore résolu. Il s'est rappelé l'époque où il travaillait dans un restaurant branché de San Franscisco, à dix-huit ans. Il y avait été employé à temps partiel pendant cinq ou six ans. Il prenait congé lorsqu'il devait se concentrer davantage sur ses études et revenait quand il avait besoin d'argent. Le propriétaire du restaurant, un homme plus vieux dénommé Ted, avait toujours été accommodant envers Jordan, lui permettant de s'en aller puis de revenir à son gré. Jordan m'a avoué que lui et d'autres employés avaient trouvé une façon de voler de l'argent en n'enregistrant pas les chèques des clients dans la caisse. Parfois Jordan et ses camarades de travail se servaient dans la nourriture et les boissons du restaurant. Jordan, qui à l'époque vivait au jour le jour, justifiait son comportement en se disant que Ted, un dentiste fortuné qui possédait deux autres restaurants, n'avait pas besoin de cet argent. Il se justifiait en se disant que tous les autres employés faisaient de même. Mais maintenant, en considérant ce comportement, Jordan voyait bien qu'il se sentait mal d'avoir traité ainsi une personne qui avait été si bonne envers lui.

Lorsque j'ai demandé à Jordan ce qu'il pouvait faire pour se pardonner ce comportement, il m'a dit que le propriétaire du restaurant était probablement mort aujourd'hui et il ne savait comment réparer son tort. Mais en appelant un ancien gérant de l'établissement, il a découvert que Ted était vivant et habitait toujours San Francisco. Jordan a réuni son courage pour téléphoner à Ted, qui avait maintenant un peu plus de quatre-vingts ans. Ted a été heureux d'avoir des nouvelles de Jordan. Il avait toujours apprécié Jordan et lui réservait une place spéciale dans son cœur. Après quelques minutes de conversation banale, Jordan a dit à Ted qu'il lui avait volé grosso modo trois mille dollars pendant qu'il était son employé et que le but de son appel était de s'excuser. Au cours de ce qui s'est révélé le moment le plus émouvant de toute sa vie, les larmes aux yeux et le cœur ouvert, Jordan a dit à Ted qu'il voulait lui faire parvenir un chèque pour le rembourser.

Après avoir entendu la confession de Jordan, Ted s'est mis à pleurer. Jordan a été étonné de découvrir que les restaurants de Ted avaient fait faillite et qu'il avait perdu tout son argent et sa grande maison. Ted lui a raconté ses moments difficiles. On venait de lui refuser un prêt à cause de sa faillite. Il a dit à Jordan que même si les trois mille dollars ne signifiaient pas grand-chose pour lui quinze ans auparavant, c'était justement le montant dont il avait besoin maintenant pour éviter la reprise de possession de son condo. En rédigeant le chèque, Jordan a eu l'impression de n'avoir jamais aussi bien dépensé son argent. Il se sentait bien à en lui-même et très privilégié d'avoir la chance de rembourser quelqu'un qu'il avait volé. Il n'avait plus besoin de dissimuler les crimes de son passé. Pour la première fois, il a senti qu'il pouvait se regarder dans le miroir et apprécier la personne qu'il voyait. Il savait que sa balance intérieure était maintenant équilibrée. Il éprouvait un sentiment de dignité.

• • •

Cori, une participante à l'un de mes programmes d'encadrement, éprouvait des problèmes financiers depuis toujours. Elle a raconté au groupe qu'elle ne savait pas pourquoi elle était incapable de gagner de l'argent ni d'en épargner. Le thème principal de son histoire était qu'elle devait faire attention, sinon les gens allaient profiter d'elle. Sachant qu'un déséquilibre karmique devait l'empêcher d'atteindre ses objectifs, je lui ai demandé d'établir la liste de toutes les fois où elle n'avait pas été intègre sur le plan financier et de chercher dans sa conscience un événement de son passé qui peut-être la privait de l'abondance qu'elle désirait.

Un incident qui s'était passé lorsqu'elle avait douze ans figurait en premier lieu sur sa liste. Cori et son amie étaient allées dans un magasin à rayons et avaient volé toute une panoplie de marchandises — des maillots de bain, des sacs à main, du maquillage et des accessoires. Après, elles étaient retournées chez son amie, avaient disposé tous les articles sur le lit pour admirer leur butin. À l'époque, elle s'était sentie excitée d'avoir réussi son coup, mais quatorze ans plus tard, cet incident se révélait une grande source de honte.

Voulant de tout cœur restaurer son intégrité et apprendre à s'aimer au plus profond d'elle-même, Cori savait qu'elle devait se faire pardonner les erreurs de son passé. Sa première tâche consistait à téléphoner au magasin où elle avait volé pour avouer son méfait. Après avoir parlé à plusieurs personnes, elle a finalement eu le directeur général au bout du fil. Il lui a aussitôt demandé : « Participez-vous à un programme en douze étapes ? » Cori lui a répondu : « Non, il s'agit d'un programme d'encadrement et cette semaine mon devoir est de faire le ménage de mon passé et de régler tout problème d'intégrité. » Cori a poursuivi en racontant son histoire, puis elle a demandé : « Que puis-je faire pour me faire   pardonner ? » Après un moment de silence, le directeur lui a   dit : « Vous m'impressionnez beaucoup. En vingt-quatre ans de métier, personne ne m'a jamais fait ce genre d'aveu. Je crois que le mieux pour vous serait de faire un don à un organisme de charité de votre choix. Je vous remercie de votre appel. » Puis, il a ajouté : « Au fait, vous avez rendu cette journée bien spéciale pour moi. » Après cet appel, Cori s'est sentie légère, enthousiaste et en pleine possession de ses moyens. Elle avait la sensation d'être libérée des chaînes de son passé, comme si on lui avait enlevé un poids. Elle n'avait plus besoin de dissimuler cet incident. Sa balance intérieure se rééquilibrait. Elle avait transformé cette partie sombre en une lumière vive.

Sa liberté nouvellement retrouvée lui donnant du pouvoir et la stimulant, Cori a vite procédé à un deuxième appel. À l'âge de dix-huit ans, au cours d'une campagne de financement en vue d'un voyage en Europe, elle avait fait une réclamation frauduleuse à une compagnie d'aviation, en faisant croire que son bagage avait été perdu. Elle avait rempli les formulaires d'usage et quelques semaines plus tard, elle avait reçu par la poste un chèque de deux mille cinq cents dollars. Elle s'inquiétait maintenant de savoir comment elle allait régler cette question d'intégrité car elle n'avait pas l'argent nécessaire pour rembourser cette dette. Malgré cela, elle a téléphoné à la compagnie d'aviation. Après plusieurs tentatives, elle a réussi à joindre un membre de la haute direction, qui lui a répondu chaleureusement. Cori lui a raconté son crime et s'est enquise de ce qu'elle pouvait faire pour être pardonnée. Dans un plaisant accent du Sud, la dirigeante lui a fait la suggestion suivante : « Eh bien, vous pouvez écrire au service des relations humaines pour dire ce que vous avez fait. Ma chère, aux yeux de Dieu vous êtes déjà pardonnée. »

Cori a rédigé la lettre. Cependant, elle avait toujours l'impression qu'elle avait encore du travail à faire pour équilibrer sa balance intérieure. Elle a donc décidé de rassembler les vieux vêtements de toutes ses amies et de faire un don à un centre d'hébergement pour femmes. En me racontant cette histoire, Cori s'est rendu compte qu'il n'avait pas été suffisant pour elle de se dire désolée. Elle devait donner davantage que ce qu'elle avait pris. Elle s'est aperçu que de cacher ses offenses ne lui apportait qu'une mauvaise impression d'elle-même et qu'elle se punissait en se dépréciant continuellement et en prêtant attention à son discours intérieur critique. Elle a aussi vu la corrélation entre ses problèmes d'intégrité non résolus et sa difficulté à gagner et à épargner de l'argent. De plus, elle savait maintenant pourquoi son unique voyage en Europe s'était révélé un tel désastre. En résolvant ces questions de son passé, Cori a pu se rendre compte qu'elle n'avait pas à se méfier des autres mais surtout d'elle-même. Cori a pris conscience qu'en se respectant elle-même et en demeurant intègre, elle se sentirait digne de gagner et d'épargner de l'argent.

• • •

Une fois que notre balance intérieure est en équilibre et que nous avons regagné notre intégrité, nous ne sommes plus retenus en arrière par des sentiments et des pensées que nous avons rattachés à des événements du passé. Une légèreté s'installe en nous. En équilibrant notre balance karmique, nous vivons en conformité avec notre moi le plus élevé. Demander le pardon est un cadeau que nous nous offrons. Lorsque le ménage est fait dans notre passé et que notre balance intérieure est équilibrée, nous pouvons entreprendre l'étonnant processus du pardon à soi-même.

SE PARDONNER À SOI-MÊME

Le processus du pardon nous incite à créer de nouveaux comportements afin d'améliorer nos relations avec nous-mêmes. Nous devons chercher en nous-mêmes car, pour chacun, ces comportements diffèrent. Voici venu le temps de nous engager à nous respecter malgré les fautes que nous avons commises dans le passé. Je vous offre ici quelques suggestions pour transformer votre relation avec vous-même.

Dites la vérité, aux autres et à vous-même.

Consacrez du temps aux personnes que vous aimez. Réservez du temps chaque jour pour faire une promenade, vous relier à ce qui est vraiment important pour vous et le partager.

Méditez chaque jour.

Offrez de votre temps à des organismes qui fournissent de l'aide, par exemple des programmes de lecture pour les enfants éprouvant des difficultés d'apprentissage.

Cessez de raconter des ragots.

Prenez soin de votre corps en vous alimentant sainement, en vous reposant suffisamment, en faisant de l'exercice, en respirant de l'air frais et en vous accordant des loisirs.

Prenez soin de votre esprit et de vos émotions en passant du temps avec vous-même. Écrivez votre journal, lisez, priez.

Respectez vos limites et soyez attentif à votre sentiment intérieur du bien et du mal.

Entrez chaque jour en communication avec le divin.

Ne négligez pas vos émotions douloureuses quand vous les ressentez, de façon à les guérir.

Maintenez vos finances à flot et réglez vos anciennes dettes.

Prenez le temps de reconnaître tout ce que vous êtes, toute la joie que vous apportez aux autres, toutes les contributions que vous avez offertes au monde.

Consommez des aliments nourrissants et cessez de manger quand vous êtes rassasié.

Soyez reconnaissant chaque jour pour tout ce que vous possédez.

Demander pardon nous libère de notre passé et nous assure une vie hors des limites de notre histoire. Cela nous permet de jouir du cadeau le plus merveilleux : le respect et l'amour de soi. Lorsque nous entrons dans le pardon et que nous commençons à nous traiter — ainsi que les autres — avec amour et compassion, une réalité nouvelle émerge. En choisissant le pardon, nous nous promettons à nous-mêmes de ne pas nous servir du passé pour nous infliger de mauvais traitements et de prendre grand soin de nous-mêmes. Lorsque nous sommes capables de nous aimer dans nos moments de folie, de haine, de jalousie, de tristesse, nous sommes vraiment libres. Nous n'avons besoin que de la volonté de nous pardonner à nous-mêmes. Personne ne peut le faire à notre place. Nous seuls le pouvons et c'est maintenant le moment d'agir.

ACTIONS REQUISES POUR LA GUÉRISON

1. Considérez votre vie passée et dressez la liste des personnes — les employeurs, les amoureux, les camarades de classe, etc. — à qui vous avez causé du tort d'une manière quelconque. Imaginez leur visage et prenez conscience des sentiments qui surgissent. Sur une feuille de papier, inscrivez le nom de la personne accompagné d'une brève description de ce que vous avez fait ou omis de faire à son égard et qui vous laisse une mauvaise impression de vous-même. Ensuite, inspirez plusieurs fois lentement et profondément. Fermez les yeux et posez-vous la question suivante : « Que puis-je faire pour équilibrer parfaitement ma balance intérieure et retrouver mon intégrité ? »

2. Écrivez chaque jour toutes les façons dont vous manquez de respect envers vous-même. Notez aussi les manquements les moins évidents. Vous arrive-t-il de ne pas respecter un engagement envers vous-même ? Entreprenez-vous des relations ou vous engagez-vous dans des comportements tout en sachant qu'ils ne sont pas dans votre meilleur intérêt ? Vous empêchez-vous de vous exprimer quand vous en avez le goût ? Considérez chaque aspect de votre vie — votre corps, vos relations, vos finances, votre maison, votre milieu — et demandez-vous : « De quelle façon je manque de respect envers moi-même dans ce domaine ? »

3. Élaborez un plan d'action pour réparer les torts que vous avez causés aux autres et à vous-même. Que devez-vous accomplir dans le monde pour équilibrer votre balance karmique ? Que devez-vous faire pour vous pardonner et retrouver votre amour de vous-même ? Assurez-vous d'avoir un plan précis et objectif. Qu'allez-vous faire précisément et quand exactement ? Cela pourrait vous aider de trouver une personne en qui vous avez confiance, avec qui vous pourriez partager cette expérience et qui vous soutiendrait dans ce processus.

Contemplation

« La magie se produit quand je
restaure mon
intégrité personnelle. »

Chapitre 8

DÉCOUVRIR VOTRE SPÉCIALITÉ UNIQUE

Dissimulée dans notre histoire se trouve notre spécialité unique. C'est notre récompense inestimable pour tout ce que nous avons vécu, notre retour vers notre être complet. Notre spécialité est notre recette unique, la somme de nos expériences de vie. Chaque trauma, chaque blessure émotionnelle, de même que nos joies et nos talents, nous guident vers la plus haute expression de nous-mêmes. Dès que nous sommes en mesure de reconnaître l'utilité de notre histoire et de retirer notre spécialité des drames que nous avons vécus, nous contemplons l'univers et sa divine orchestration avec émerveillement. Nous voyons, peut-être même pour la première fois, comment toutes les parties de notre vie ont travaillé de concert afin de nous offrir un don qui, indéniablement, est le nôtre propre. C'est alors que tout trouve un sens. Nous pouvons enfin voir la sagesse dans nos traumas et notre douleur. Nous comprenons pourquoi nous avons reçu des dons particuliers que nous seuls possédons. D'un œil nouveau, nous voyons comment chaque événement de notre vie a été parfaitement orchestré pour que nous puissions découvrir nos plus grandes possibilités. Nous percevons l'histoire de notre vie sous un nouvel éclairage. Soudain, nos parents, nos problèmes physiques, nos peurs, nos luttes, nos gains et nos pertes, nos talents et nos réussites prennent un sens. Nous avons la certitude que jamais nous ne pourrions exprimer la sagesse de notre don divin si nous n'avions pas vécu toutes ces expériences.

RÉCLAMER VOTRE DON

Nous dévoilons notre spécialité lorsque nous pouvons contempler notre vie — nos ombres, nos lumières, nos conclusions négatives, la totalité de nos expériences — et répondre aux questions suivantes : « Pourquoi ai-je eu besoin de cette croyance ou de cette expérience ? Comment cet événement peut-il m'amener à découvrir ma contribution spéciale ? Que puis-je apporter au monde maintenant que j'ai vécu cette expérience ? Quelles connaissances ai-je acquises grâce à cette expérience ? » Nous savons que nous avons complètement intégré notre histoire lorsque nous pouvons voir et utiliser les dons qu'elle nous a apportés. Lorsque nous avons extrait notre recette du drame de notre histoire, nous sommes en présence de notre don unique. Nous sommes en mesure de partager notre sagesse avec le monde et sommes guidés vers les meilleurs véhicules pour ce faire. Lorsque nous découvrons notre spécialité, nous faisons profiter le monde du livre de notre vie. Mais pour cela, nous devons considérer notre vie à travers une lentille spéciale et répondre à ceci : « Jusqu'à maintenant, ma vie me pousse à faire ou à être quelque chose en particulier. De quoi s'agit-il ? »

La plupart d'entre nous sommes incapables de voir la spécialité dont nous a doté notre histoire. Tant que nous n'avons pas fait la paix avec notre passé et que nous ne cessons de blâmer les autres des circonstances de notre vie, nous demeurons aveugles devant nos dons uniques. Mais dès que nous acceptons tant la lumière que les parties sombres de nous-mêmes et que nous assumons la responsabilité de notre personnalité entière, nous découvrons nos dons à partager. Quand je rencontre des gens qui sont prisonniers de leur histoire, je leur demande : « Si vous deviez écrire un livre, quel en serait le titre ? » Voici quelques-uns des excellents titres que nos histoires nous ont permis de créer :

Comment utiliser votre vie pour souffrir

Comment vous faire du souci en 28 jours

Comment être pleinement à l'écoute de votre discours intérieur négatif

Comment se comporter en vaincu dans tous les domaines de votre vie

Comment prouver à vous-même et aux autres que vous ne méritez pas l'amour

Comment repousser les autres pour s'assurer d'être rejeté

Aucun de ces livres ne constituerait une agréable lecture. Je crois que la plupart d'entre nous préférerions un titre qui exprimerait le meilleur de nous-mêmes. Chaque expérience de notre vie nous a octroyé une connaissance et une sagesse particulières. Tout ce qui nous est arrivé a été prévu selon un plan divin pour nous aider à offrir notre contribution unique au monde.

QUEL EST VOTRE DON ?

Voici maintenant le moment de considérer votre histoire d'un point de vue complètement différent afin de découvrir le don qu'elle renferme. Je vous présente d'abord quelques exemples. Si votre mère vous a quitté durant votre enfance et que vos deux épouses vous ont quitté, votre spécialité pourrait être « comment rester fort quand les femmes nous quittent ». Si vous avez toujours eu besoin des hommes pour prendre soin de vous car l'une de vos croyances sous-jacentes vous disait que vous ne pouviez le faire vous-même, votre spécialité pourrait être   « apprendre aux femmes à réussir par elles-mêmes ». Si vous avez été agressée sexuellement par un oncle ou violée par une connaissance, votre spécialité pourrait être « enseigner aux adolescentes à se protéger et à respecter leurs limites ». Si toute votre vie durant, vous avez lutté sans succès contre une dépendance, peut-être pourriez-vous partager cette spécialité et « montrer aux jeunes les affres de la dépendance ».

Afin de découvrir votre spécialité, vous devez vous engager à utiliser *tout* votre vécu pour contribuer à la vie des autres. Nul besoin d'être un professeur d'université ou un auteur pour offrir votre spécialité au monde. Vous enseignez par l'exemple. Vous pouvez transmettre votre spécialité à vos enfants ou à un bon ami au cours d'une promenade. Vous pouvez révéler votre sagesse devant un abreuvoir au travail ou à la fête de votre neveu de douze ans. Nous avons tous des occasions d'apporter en tout temps notre contribution. Cela peut arriver aux funérailles d'un membre de notre famille ou lorsqu'un ancien camarade de classe prend contact avec nous par Internet. Il n'est pas nécessaire que nous sachions où et quand nous aurons l'occasion d'offrir notre don au monde, nous n'avons qu'à reconnaître que nous le possédons. En étant conscients de notre don spécial, nous connaissons une paix intense et sommes prêts à faire le grand pas pour sortir de notre drame personnel et entrer dans notre expression divine.

DOMINER VOTRE HISTOIRE

À un certain stade de ma vie, il m'est apparu évident que mon histoire ne me menait nulle part. Je me trouvais devant un choix : je pouvais rester à l'intérieur de cette histoire et continuer de faire ce que j'avais toujours fait en espérant que les choses s'améliorent et en tentant de trouver un peu de joie et de bonheur, ou je pouvais abandonner la sécurité et le confort du connu et m'embarquer dans une aventure au-delà de mon histoire. Au plus profond de mon âme, je savais que j'avais un meilleur destin. Je désirais la spontanéité de l'inconnu. J'en avais assez de la prévisibilité de ma vie. J'avais l'impression d'avoir tout épuisé à l'intérieur de mon histoire. Mon drame ne n'offrait plus aucune joie ni aucune surprise. Je savais toujours ce qui irait, ce qui n'irait pas, quels buts je pouvais atteindre et ce que je maintiendrais tout juste hors de ma portée. Puis le jour est arrivé où j'ai touché le fond du baril et où je ne voulais plus vivre à l'intérieur des limites que je m'étais créées. Ce jour-là, j'ai prié pour avoir le courage de ne plus me connaître puisque le moi que je connaissais ne me satisfaisait pas et laissait un vide en moi. J'ai prié pour le dévoilement de mon moi le meilleur. Non pas que mon moi connu me dérangeait, mais il s'agissait d'une saga ennuyante et chaque jour la vie me paraissait comme un film que j'avais vu maintes et maintes fois. D'une certaine façon, j'avais la chance de connaître une si grande agitation intérieure, car cela a stimulé mon désir de transcender mon histoire.

Lorsque j'étais en instance de divorce, je me suis aperçu que je devais transcender un autre drame. Une fois de plus, j'ai dû choisir entre nager ou couler. Je venais de mettre au monde mon premier enfant et, inconsciemment, j'étais entrée dans le drame de la maternité, avec les joies, les triomphes, les inquiétudes et les craintes qu'il apportait. Toute une histoire ! Je me demandais avec inquiétude comment j'allais me débrouiller pour vivre et comment je pouvais créer une vie pour mon fils et moi-même.

Un jour que je me trouvais complètement étouffée par les barrières de mon passé, ma sœur m'a posé une question très puissante : « Que penses-tu devoir faire pour être totalement heureuse, apporter ta contribution au monde, prendre soin de ton fils et créer la vie de tes rêves ? » En réfléchissant à cette question, je me suis rendu compte qu'il était grand temps pour moi de cesser d'être une étudiante et de me lancer dans le rôle de professeur. Il était temps de partager la sagesse que j'avais accumulée pendant des années. J'étais certaine de posséder un talent : celui de trouver une bénédiction ou un cadeau dans toute expérience négative. Grâce à ma souffrance, j'étais devenue experte dans l'interprétation de mes expériences de vie, que j'utilisais ensuite pour transformer ma situation actuelle. La souffrance et les traumas issus de mon passé m'avaient dotée d'une spécialité unique : éclairer la noirceur et trouver une bénédiction dans toute circonstance de la vie. En évaluant mes habiletés et mes talents, j'ai découvert que ma possession la plus précieuse provenait d'une source saugrenue : la souffrance et les combats de mon passé.

Face à cette croisée des chemins, je savais que je pouvais soit me servir de ces expériences pour apporter ma contribution aux autres ou laisser mon passé et ses limites continuer de me dominer. Je devais décider quel chemin prendre et concrétiser cette décision par une action. Je savais que mon but consistait à éclairer la noirceur, à apporter la guérison. En méditant sur la façon de réaliser ce but, j'ai reçu un message très clair : je devais écrire. Je me suis donc engagée à écrire tous les jours.

Écrire chaque jour — même quand je n'en avais pas envie — m'a aidée à vivre hors de mon histoire. Même si mon engagement était solide, je savais qu'une structure serait nécessaire pour me soutenir si je désirais vivre selon la plus haute expression de moi-même. Je devais prendre position et déclarer vivement : « Voilà qui je suis. » J'ai annoncé à tous les gens que je rencontrais que j'étais en train d'écrire un livre sur l'acceptation de l'ombre. J'ai non seulement informé mes parents et amis, mais je suis devenue un personnage public. J'ai partagé mon nouveau moi avec des éditeurs, des agents et des guides spirituels. Je devais me placer dans une situation telle que si jamais je retombais dans mon histoire, il y aurait des conséquences immédiates. Au cours de cette période pendant laquelle j'ai révélé mon moi le plus élevé, j'ai attiré vers moi un tout nouveau groupe d'amis et d'associés qui n'avaient jamais entendu mon histoire commençant par « pauvre de moi ». Ils ne connaissaient que l'histoire de la personne que je voulais être. En procédant à cette modification en moi-même, j'ai découvert que le monde me répondait différemment.

J'avais toujours voulu écrire un livre, mais ce désir s'était toujours trouvé hors des frontières de mon histoire. Cependant, il s'agissait bien de ma prochaine étape. J'avais de toute évidence un choix à faire. Je pouvais continuer de marcher sur le même chemin qui ne menait nulle part, collectionnant d'autres récits de guerre, d'autres blessures et d'autres résignations, ou je pouvais m'engager sur une voie nouvelle pour arriver à un endroit où je n'étais jamais allée auparavant. Je savais que pour atteindre mon but, je devais rester consciente de mon malaise et de ma peur de l'inconnu au lieu de me retrancher dans la fausse sécurité de mon monde familier. J'ai consciemment choisi de cesser d'écouter ma radio invisible qui criait : « Tu ne finis jamais ce que tu entreprends. Tu n'es pas assez intelligente pour écrire un livre. De toute façon, personne n'écoutera ce que tu as à dire. » Mes choix se situaient à l'extérieur de tout ce que j'avais connu auparavant. Jour après jour, j'ai posé des gestes qui correspondaient à la personne que je désirais être et non à celle que j'avais été.

Après quelques mois passés délibérément à l'extérieur de mon histoire, je m'apercevais aussitôt de mes rechutes. Je percevais le sentiment familier de résignation qui m'envahissait comme un nuage noir, transportant avec lui le manque de confiance en moi, l'incertitude et la peur. Je savais que j'étais retombée dans les limites de mon drame lorsque je commençais à écouter de nouveau la partie de moi, faible et apeurée, qui me suppliait de cesser de rechercher autre chose que ce que je connaissais. Elle m'implorait de rester dans les limites du connu. Lorsque je revenais dans mon histoire, je me sentais peu importante, paresseuse ; je m'ennuyais. Pour m'extraire de mon histoire, j'ai dû m'arrêter, fermer les yeux et m'avouer à moi-même : « Oh, me revoilà dans mon histoire. » Maintenant que j'en suis sortie, je me sens forte et solide, infinie et indestructible. Mais en délaissant mon passé et l'histoire que je connaissais par cœur, j'ai eu l'impression de faire un grand saut du haut d'une falaise. Il me semblait que ce saut pouvait être fatal. Dans ma vieille histoire, je sentais que j'avais déjà échoué, donc si je tentais quelque chose qui ne fonctionnait pas, personne ne le remarquerait. J'avais mis la barre très haute. J'avais renoncé à mes alibis. Si je ne réussissais pas à publier un livre, si je ne me montrais pas telle que j'avais dit que je voulais être, il ne me resterait plus qu'à vivre dans la résignation et le désespoir. Cette pensée m'était tellement insupportable, qu'elle m'a poussée à continuer d'aller de l'avant, à prendre des risques en gardant en tête un objectif intense que je n'avais jamais connu auparavant. J'ai découvert que plus j'écrivais à propos de mes expériences pour les partager avec les autres, plus je me distançais de mon histoire. En vivant selon mon objectif, j'ai réussi à demeurer hors de mon histoire.

• • •

Finalement, notre salut se trouve dans l'offrande de notre don unique et dans l'utilisation de notre spécialité. Lorsque nous utilisons toutes nos connaissances, toutes nos expériences et tout ce que nous sommes, nous devenons en harmonie avec l'immensité de l'univers et manifestons la plus haute expression de notre âme. Désormais, notre attention et notre énergie ne sont plus axées sur nous et notre drame. Cela a certainement été le cas pour mon amie Karen.

Karen a grandi dans un foyer où elle avait le sentiment que ses parents ne l'aimaient pas et l'agressaient verbalement. Toute sa vie, elle a entendu une voix dans sa tête qui lui répétait qu'elle n'était pas parfaite. Au cours de ses années d'école primaire, elle a commencé à utiliser la nourriture pour masquer sa douleur, supprimer ses sentiments d'imperfection et obtenir la sécurité qu'elle n'avait pas chez elle. À l'âge de dix ans, elle était déjà obèse et elle est restée ainsi durant la majeure partie de sa vie adulte. Évidemment son obésité n'arrangeait rien à son sentiment d'imperfection. Se sentant grosse, indigne d'attention et stupide, Karen s'est résolue à être invisible et s'exprimait rarement. À la place, elle continuait de se gaver de nourriture afin de tenter de supprimer les pensées pénibles et les sentiments douloureux qui criaient sans arrêt pour attirer son attention. Sa stratégie fonctionnait jusqu'à un certain point. Karen était engourdie sur le plan des émotions et coupée de toute forme de passion. Le thème de son histoire, qu'elle répétait inlassablement, était qu'elle était grosse et insignifiante et que sa vie importait peu.

Un jour, après le mariage de sa fille aînée, Karen et sa famille se sont réunies pour regarder la vidéo de l'heureux événement. Karen se voyait pour la première fois sur vidéo et elle a été horrifiée. Les sentiments d'imperfection qu'elle avait essayé si fort de supprimer sont vite remontés à la surface. Elle a observé son histoire en couleurs sur l'écran de télévision. Des années de douleurs non guéries lui ont surgi au visage. Karen a fermé les yeux et s'est retrouvée en elle-même, se souvenant de tous les incidents de son passé qui l'avaient fait se sentir inadéquate, imparfaite et indigne d'amour. Plus tard, lorsque nous nous sommes parlé, je l'ai encouragée à écrire son journal quotidiennement pour se libérer de la souffrance qu'elle portait depuis si longtemps. Karen a aussi commencé à méditer, à prier et à se recueillir dans le calme pour écouter ce qui se passait en elle.

Après plusieurs semaines, lorsque Karen a de nouveau regardé la vidéo, elle a été surprise par ce qu'elle a vu. Cette fois, son excès de poids lui est apparu non pas comme une source de honte et de culpabilité, mais comme une armure qui la protégeait du monde et de sa propre haine d'elle-même. Ayant accepté le cadeau de la protection que lui avait offert cette armure durant des années, Karen voulait maintenant l'enlever et s'aventurer à l'extérieur de la sécurité de son histoire où elle se dépréciait. En se raccrochant à son excès de poids, Karen pouvait dissimuler la vérité à propos d'elle-même : elle méritait tout l'amour que le monde avait à offrir. Ses imperfections physiques et son poids avaient été depuis si longtemps son champ de bataille. Maintenant elle était prête à quitter le chemin familier de l'autodestruction pour se lancer dans le monde de l'inconnu.

La vie de Karen a changé de façon spectaculaire lorsqu'elle a cerné son histoire. Après avoir été esthéticienne, elle travaille maintenant comme thérapeute et aide les femmes à cesser de s'engourdir et de se détruire avec la nourriture. Elle leur apprend à guérir les émotions qui se trouvent à la base de leur problème de poids. Elle les incite à se révéler et à trouver le courage d'exprimer leur beauté authentique. Elle leur transmet les cadeaux qu'elle s'est donnés à elle-même : l'acceptation de soi, la sécurité et la confiance nécessaires pour s'exprimer. Lorsque ses sentiments d'indignité refont surface, comme cela se produit de temps en temps, Karen les bénit et les accepte. Plus que tout, elle bénit son gros corps car c'est lui qui l'a menée vers la découverte de sa spécialité unique et la volonté de la partager avec le monde. À l'extérieur de son histoire, Karen respecte son corps comme un temple et fait les choix qui favorisent son bien-être.

• • •

En faisant un pas pour sortir de notre histoire, nous chevauchons deux mondes. Quand nous regardons le chemin de notre histoire, nous savons avec certitude où il nous mènera. Même si la destination ne nous plaît pas, au moins nous sommes en sécurité et à l'aise en sachant ce qui nous attend. En choisissant le chemin que nous ne connaissons pas et la vie hors de notre histoire, nous devons faire confiance à l'univers pour nous indiquer la voie et nous donner ce dont nous avons besoin.

Lorsque j'ai rencontré Lyndi il y a quelques années, elle était au début de la trentaine et était courtière d'assurances. Sa mère et son père, tous les deux alcooliques, avaient divorcé lorsque Lyndi était très jeune et s'étaient peu occupés d'elle et de son jeune frère. Lyndi a donc dû voir à ses besoins. Elle a commencé à travailler dès l'âge de quatorze ans, mais elle gagnait si peu d'argent qu'elle pouvait à peine s'acheter des vêtements et des fournitures scolaires. L'histoire qui a résulté de son enfance racontait que la vie était une lutte et que puisque personne ne s'occupait d'elle, elle devait donc prendre soin d'elle-même. De l'extérieur, Lyndi paraissait confiante et compétente, projetant l'image d'une femme sûre d'elle. Cependant, elle avait un gros secret : le soir, après sa journée au bureau, Lyndi se rendait au centre-ville où elle travaillait dans un bar comme danseuse nue pour satisfaire son soi-disant besoin immodéré d'argent. Lyndi voulait désespérément vivre une vie plus spirituelle, mais elle s'était habituée à l'argent supplémentaire qu'elle gagnait comme danseuse et croyait qu'elle n'arriverait pas financièrement sans ce boulot. Peu à peu, l'idée qu'elle exploitait son corps pour de l'argent a affecté son estime d'elle-même et elle a donc décidé de mettre fin à sa carrière de danseuse.

Désirant quitter la vie qu'elle connaissait, Lyndi a décidé d'utiliser l'argent qu'elle avait fait en tant que danseuse pour voyager en Inde. Elle espérait que pendant son séjour un événement remarquable allait la sortir de son histoire et la mettre sur la voie de son essence spirituelle. Mais à la place, elle a vécu deux expériences subtiles mais profondes qui, en bout de ligne, allaient changer sa destinée et lui donner le courage d'abandonner son histoire.

Au cours d'un séminaire spirituel auquel elle assistait à Goa, Lyndi a rencontré un homme qui vendait de très jolies images de l'Inde. Elle voulait absolument avoir ces beaux souvenirs pour les montrer à ses amis et à sa famille et se remémorer son pèlerinage spirituel, une fois revenue à la maison. Cependant, elle n'avait pas les moyens d'acheter ces photographies. Une petite voix intérieure lui a suggéré d'attendre à la fin du séminaire. L'homme vendrait probablement les photos restantes à prix réduit. Mais Lyndi n'a pas fait confiance à ce savoir intérieur ; elle craignait qu'en n'agissant pas immédiatement, il ne resterait plus rien pour elle. Elle a donc fouillé dans ses poches, a acheté les photos et les a ramenées à sa chambre. Le dernier jour du séminaire, au moment où tous les vendeurs s'apprêtaient à quitter les lieux, Lyndi a remarqué que sa voix intérieure avait eu raison. L'homme de qui elle avait obtenu les images les vendait maintenant au tiers du prix qu'elle avait payé. Un sentiment familier de regret est remonté en elle.

Lyndi avait aussi l'espoir de pouvoir remplacer, au cours de son voyage, un couvre-lit qui avait appartenu à son père. Elle a passé des jours dans les petites boutiques en espérant trouver exactement ce qu'elle cherchait. Vers la fin de son séjour, elle s'est dit que peut-être ce couvre-lit n'existait simplement pas, ainsi elle s'est résigné à en acheter un similaire. Puis, à l'aéroport de Delhi, en attendant son avion, elle est entrée dans un magasin et dans un coin, au fond, était suspendu le même couvre-lit qu'elle avait voulu acheter à son père. Malheureusement, maintenant ses sacs étaient pleins et ses poches, vides. Lyndi était étonnée de constater que si elle avait fait confiance à l'univers et à son savoir intérieur, elle aurait obtenu sans effort tout ce qu'elle désirait.

Ainsi, au lieu de profiter de la joie de la divinité de l'univers, Lyndi s'est heurtée aux limites étouffantes de son histoire qui lui disait qu'elle ne pouvait faire confiance à l'univers pour s'occuper de ses besoins. Pendant qu'elle me racontait cette histoire, une vérité plus profonde a émergé. Lyndi a découvert sa principale croyance sous-jacente : « je ne peux faire confiance à personne pour satisfaire mes besoins ». Dans les moments décisifs, Lyndi franchissait toujours les limites de son intégrité intérieure et tentait de provoquer les choses, certaine que c'était le seul moyen de satisfaire ses besoins. Lyndi avait d'innombrables exemples qui lui prouvaient qu'en lâchant tout simplement prise, en abandonnant son histoire, l'univers lui donnerait exactement ce dont elle avait besoin. Il est devenu évident que son histoire et tous ses drames l'avaient dotée d'une sagesse particulière et d'un don spécifique : enseigner aux autres à faire confiance à l'univers et à écouter leur savoir intérieur. Aujourd'hui guide de méditation et professeure de yoga, elle dit souvent à ses élèves : « Écoutez votre cœur et faites-lui confiance. » À l'extérieur de son histoire, Lyndi a un nouveau mantra : l'univers me donne tout ce dont j'ai besoin. Elle se sent privilégiée de savoir que Dieu lui parle par l'entremise de son propre savoir intérieur.

LE PROCESSUS POUR TROUVER VOTRE SPÉCIALITÉ

Pour trouver votre spécialité, vous devez reconnaître et intégrer les événements significatifs — qu'ils soient positifs ou négatifs — qui ont fait de vous la personne que vous êtes devenue. Ce processus comporte les étapes suivantes :

1. Dressez la liste des expériences significatives de votre vie, incluant vos traumas, vos victoires, vos amours, vos pertes, vos succès et vos humiliations. Ce sont les ingrédients de votre recette qui, une fois intégrés, vous donneront tout ce dont vous avez besoin pour trouver votre spécialité et faire votre contribution unique.

2. Recherchez le thème commun (il peut y en avoir plusieurs) à chacun de ces événements. Peut-être la perte imprègne-t-elle l'histoire de votre vie. Ou peut-

être découvrirez-vous que votre famille vous a abandonné, que vos pairs vous ont rejeté, ou qu'on vous a ignoré au travail. Votre passé peut aussi vous révéler que vous n'êtes jamais assez bon pour obtenir un rôle dans la pièce, pour fréquenter la bonne école ou trouver un amour fidèle.

3. Demandez-vous : « Si je devais donner un cours à des élèves d'université basé sur les événements de mon passé, quel en serait le titre ? » Tentez de découvrir les qualifications uniques que vous avez reçues des expériences de votre vie et qui vous permettent d'enseigner quelque chose ou d'apporter une contribution. Que savez-vous et que comprenez-vous de la vie que la plupart des gens ignorent ? Qu'avez-vous appris de toutes vos expériences, que vous pourriez transmettre aux autres ?

Ma sœur Arielle est un bon exemple d'une personne qui utilise son histoire et tout son contenu pour se donner du pouvoir et contribuer au monde. Arielle a maîtrisé l'art de faire arriver les choses. Je l'ai invitée à me faire part des incidents significatifs de son passé qui l'ont amenée à trouver et à développer cette spécialité unique. En y réfléchissant, trois événements lui sont venus à l'esprit. Le premier s'est produit lorsqu'elle avait quatre ans et qu'elle se trouvait au temple avec la famille. En entrant dans le temple, Arielle a entendu Sy Mann, le président du temple, dire à une autre personne que les gens parlaient trop durant le service. Au cours du service, Arielle, sous le coup d'une fantaisie, s'était mise à déambuler dans les allées du temple dans sa jolie robe rose et ses souliers noirs en cuir verni, en criant de toutes ses forces : « Sy Mann veut que vous cessiez de parler ! » Soudain, tout le monde l'avait regardée, riant de la candeur de cette petite de quatre ans. Arielle se souvient d'avoir ressenti de la honte et d'avoir décidé de ne plus jamais se faire voir. Elle a passé les vingt années suivantes de sa vie à tenter d'être invisible et de passer inaperçue.

Le deuxième événement s'est passé quand elle avait sept ans. Arielle était fascinée par les contes de fée, la fantaisie et la magie. Je me souviens des séances à la maison et qu'à l'école on m'appelait la sœur de la sorcière parce qu'Arielle avait de longs cheveux noirs qui lui arrivaient à la taille, qu'elle portait toujours du noir et explorait d'autres réalités. Arielle avait un côté bien particulier ; j'en étais consciente, comme toutes les personnes qui la connaissaient. Ainsi, lorsqu'elle avait sept ans, elle s'est réveillée au milieu de la nuit et a vu notre grand-père Lou assis au pied de son lit. Il a dit : « Je suis venu te dire au revoir et je veux que tu saches que je serai toujours près de toi. » Puis, son image a disparu. À ce même instant, Arielle a entendu le téléphone sonner, a vu des lumières dans la maison et a perçu les pleurs de notre mère. Quelques minutes plus tard, notre père est entré dans sa chambre pour lui annoncer que grand-papa Lou était mort. Arielle lui a répondu : « Je sais. Il me l'a dit. » C'est à cet instant qu'elle a pris conscience que la vie dépassait ce qu'on pouvait en percevoir.

Le troisième événement est arrivé lors de son premier jour à l'université. Lorsqu'Arielle est allée s'inscrire en production télévisuelle, le doyen de l'école l'a accueillie en se pressant de l'avertir qu'il n'y avait pas d'avenir pour les femmes dans ce domaine. Il lui a suggéré de s'inscrire à une école de journalisme, conseil qu'elle a suivi. En conséquence, Arielle a appris les trucs de ce métier, tout en améliorant ses aptitudes en écriture. À la fin de sa scolarité, Arielle a décidé que ses habiletés seraient le mieux mises à profit non pas en journalisme, mais en relations publiques.

Au cours des dix années suivantes, Arielle a brillé dans la promotion d'événements pour des artistes, des comédiens et des entreprises. Cependant, elle se sentait mal à l'aise et insatisfaite. Un jour, elle s'est rendu compte qu'elle avait besoin d'intégrer à son travail une dimension spirituelle profonde. Tout le travail qu'elle avait accompli l'avait préparée à mettre en application sa spécialité unique et à faire la contribution qui lui importait vraiment. Aujourd'hui, elle est une des personnes les plus puissantes et influentes dans le monde spirituel. Non seulement fait-elle la promotion des leaders spirituels les plus importants de notre époque, mais elle aide à diffuser des messages essentiels dans le monde et elle est l'auteure de la collection *Hot Chocolate for the Mystical Soul.*

En considérant ces trois épisodes de la vie d'Arielle, deux thèmes émergent. Le premier est que, pour elle, être vue comportait des risques. Le message subtil qu'a reçu Arielle au temple et à l'université était de rester dans l'ombre. L'autre thème est son lien très fort avec le monde spirituel. Lorsqu'elle a considéré les qualifications uniques qu'elle avait reçues des expériences de sa vie et qui lui permettaient de faire sa contribution au monde, elle s'est aperçu qu'elle possédait les habiletés, le savoir-faire et le pouvoir de communiquer des messages importants au monde. Au lieu de se sentir découragée et victime de ces incidents — ce qui aurait très bien pu arriver — Arielle a décidé de se servir de son passé, de sa douleur et de ses dons pour apporter sa contribution au monde.

• • •

Chacun de nous a cette capacité, peu importe que notre passé ait été tragique, épuisant ou satisfaisant. Nous pouvons examiner notre vie, découvrir nos dons et apporter notre contribution. Nous avons appris des choses et vécu des expériences que nous seuls avons apprises et vécues. Notre expérience fait de nous des spécialistes. Et le monde a besoin de ce que nous avons à offrir. Cela a été le cas pour Johanna, qui a passé des années de sa vie à baigner dans une histoire qui lui racontait qu'elle était une personne horrible. Lorsque je l'ai rencontrée, elle était remplie d'angoisse et de honte parce qu'elle était née et avait grandi en Allemagne et qu'elle faisait partie d'une culture qui avait commis des atrocités contre des millions de personnes juives. Johanna se débattait contre la dépression, la colère et une crainte si profondément ancrées qu'elle pouvait à peine supporter la douleur. Cette histoire ne lui laissait aucun répit. Je savais qu'elle devait découvrir le don dissimulé dans sa douleur afin de pouvoir s'échapper de son histoire et guérir.

Je l'ai incitée à me décrire ce qu'elle ressentait d'être née en Allemagne quinze ans après la guerre. Elle m'a révélé que les premières années de sa vie, passées dans un petit village vallonné à l'atmosphère vieillotte, avaient été plutôt paisibles et heureuses. Toutefois, à l'âge de huit ou neuf ans, Johanna avait commencé à entendre les histoires que racontaient ses parents et ses grands-parents à propos de la guerre. Elle a appris d'eux ce que cela faisait que de voir tomber les bombes autour de soi et de devoir passer la nuit caché dans une cave pour sauver sa peau. Elle imaginait la terreur des parents qui ignoraient s'ils reverraient un jour leurs fils. À mesure que sa famille évoquait ces souvenirs douloureux, la peur, la souffrance et la privation qui avaient marqué cette sombre époque de l'histoire de l'Allemagne l'horrifiaient.

Puis, à l'école, Johanna a vu un documentaire sur la guerre. C'était la première fois qu'elle comprenait vraiment les conséquences du massacre qui avait eu lieu dans son pays. Les larmes coulaient sur ses joues et une grande honte l'a envahie tandis qu'elle réalisait qu'elle était citoyenne d'un pays qui avait perpétré des horreurs contre les Juifs. Soudain, une pensée encore pire a traversé son esprit : si les gens de mon pays peuvent massacrer de sang-froid dix millions de personnes, qu'est-ce que cela fait de moi ? Suis-je capable des mêmes crimes monstrueux ? À cet instant, Johanna a ressenti la honte profonde de son héritage et se l'est appropriée.

J'ai ensuite demandé à Johanna de passer à la deuxième étape en établissant la liste des événements marquants de son passé qui lui pesaient encore aujourd'hui. Quels incidents de son passé l'embarrassaient, déclenchaient sa colère et sa honte ? Et quelles conclusions à propos d'elle-même en avait-elle déduit ? Voici sa liste :

Lorsque j'étais enfant, j'ai appris que les Allemands ne pensaient pas par eux-mêmes, mais qu'ils suivaient Hitler aux dépens de millions de vie. J'ai décidé de ne jamais faire partie d'aucune organisation, croyant que je perdrais ma faculté de penser.

De nombreuses fois au cours de ma vie, des gens m'ont dit : « Vous êtes si gentille. Vous ne ressemblez pas du tout à ces nazis. » J'ai décidé que si je m'exprimais et m'affirmais, les gens croiraient que je suis une méchante Allemande. J'ai donc refoulé ma force et mon leadership et j'ai tenté de me montrer toujours aimable et réservée.

Lorsque j'ai émigré aux États-Unis, après avoir perçu l'animosité que ressentaient certains Américains envers les Allemands, je me suis distancée de mes amis allemands et ne leur ai pas parlé pendant douze ans.

Quand je suis allée en France, mes compagnons de voyage m'ont avertie : « Les Français détestent les Allemands. Vous devriez dire que vous êtes Suisse ou Autrichienne. » J'ai décidé que je ne pouvais pas être moi-même et j'ai commencé à jouer différents rôles pour me faire accepter.

Dans ma jeunesse, ma mère m'a raconté qu'elle jouait avec des enfants juifs qui habitaient tout près de chez elle. Lorsque la guerre a éclaté, un jour, ils ont tout simplement disparu. J'étais horrifiée. La connaissance de ce fait m'a rendue mal à l'aise en présence de personnes juives.

Quand j'ai émigré aux États-Unis, j'ai assisté à une fête donnée par mon employeur, qui était Juif. En guise de divertissement, le nom d'une personne célèbre était placé dans le dos de chaque invité. Il fallait questionner les autres invités pour deviner le nom de notre personnage. Étant extrêmement consciente de mon héritage, je souhaitais ne pas porter le nom d'un nazi. Malheureusement, à ma grande stupéfaction, on m'avait donné Adolf Hitler comme personnage.

Quand j'étais jeune, je suis entrée dans un café du petit village allemand où j'habitais. Un ami de mon grand-père était installé à une table et se vantait de sa loyauté envers le parti nazi en disant : « Je porte encore ma chemise marron ! » Je me suis sentie malade de honte et d'humiliation, horrifiée d'être une des leurs.

Après avoir vu un documentaire sur la guerre, j'ai tenté de masquer toute chose en moi qui pourrait être interprétée comme sombre ou mauvaise. Je me suis efforcée de ne jamais faire de mal à quiconque, en espérant que cela me préservait de tout ce qui pourrait m'arriver de mauvais. Je suis devenue rigide et contrôlante et, par conséquent, j'éprouvais rarement de la joie.

Ayant été témoin de la dévastation issue de la colère, je ne me permettais jamais d'être fâchée, ni même dans de saines limites. Je croyais que je devais me montrer gentille avec tout le monde, même lorsqu'on me faisait du mal.

Il était évident que ces événements avaient produit une recette spécifique à Johanna. Johanna devait maintenant découvrir ses dons. Je lui ai donc proposé de mettre sur papier tout ce que sa vie en Allemagne lui avait appris et donné. Voici les habiletés et les connaissances que Johanna possède maintenant et qu'elle n'aurait pas si elle n'avait pas vécu les expériences qu'elle a connues :

En ayant grandi dans l'Allemagne d'après-guerre, j'ai acquis une passion pour l'histoire. Je suis devenue une lectrice avide en tentant d'en apprendre le plus possible sur l'Holocauste.

J'ai pris intérêt à l'autothérapie et au potentiel humain. Je me suis intéressée à la psychologie en vue de comprendre comment un aliéné avait réussi à amener un pays en entier à commettre des crimes inimaginables.

Parce que je détestais mon héritage, il était facile pour moi de me faire de nouveaux amis et de me renseigner sur les autres cultures.

Tout effort humain m'a toujours grandement intéressée. J'ai passé presque toute mon adolescence à protester contre la violence et à militer en faveur de la paix.

Puisque la violence perpétrée contre les Juifs m'a horrifiée, très tôt j'ai décidé que l'amour, le dévouement et la guérison seraient les valeurs principales dans ma vie.
J'ai acquis un vif intérêt pour le judaïsme et j'ai étudié la kabbale.

Je suis portée à regarder ce qu'ont les gens en commun et non ce qui les distingue.

Je suis douée pour trouver des façons de résoudre les conflits dans la paix, que ce soit avec mon ancien mari ou avec mes enfants. Parce que je ne veux pas que quiconque soit blessé, je m'efforce de trouver des solutions qui plaisent à tous.

Je m'adapte facilement et je peux expliquer des choses de différentes manières à un groupe de personnes ayant des idées divergentes.

J'ai appris qu'en camouflant la douleur de mon passé, je ne pourrais jamais guérir mes blessures et aller de l'avant.

Je suis engagée à apporter des solutions aux descendants des victimes, de même qu'aux responsables de l'Holocauste. Je suis dans une position unique pour aider à résoudre cette question sur un plan global.

Johanna a pu voir les nombreux dons que lui avaient apportés les expériences douloureuses qu'elle avait vécues. Cependant, elle ne savait pas encore comment les utiliser pour en faire profiter les autres. Puis, l'an dernier, elle a rencontré Rosemary, qui est active dans la communauté juive, et les deux sont vite devenues amies. Un jour, elles se sont mises à parler des blessures qui existaient encore entre les Allemands et les Juifs. Johanna a fait part à Rosemary de son malaise d'être Allemande, un sentiment qui l'avait accompagnée toute sa vie. Elle a expliqué à Rosemary que beaucoup de ses amis allemands vivaient encore dans la honte des atrocités qui s'étaient passées plus de quarante ans auparavant. L'honnêteté de Johanna a touché Rosemary. Elle lui a appris que la plupart des Juifs qu'elle connaissait n'avaient jamais pensé à la façon dont les Allemands qui n'avaient pas participé à ces crimes pouvaient en être marqués. Après avoir entendu le point de vue de Rosemary, Johanna a pu voir à quel point cet événement avait fait des Allemands autant que des Juifs, des victimes.
Johanna et Rosemary ont eu la brillante idée de préparer un documentaire sur les conséquences de l'Holocauste pour les générations futures d'Allemands et de Juifs. Rosemary a communiqué avec un documentariste réputé qu'elle avait

récemment rencontré en Californie et qui a accepté de réaliser le film. Le projet enthousiasme tous ceux qui en entendent parler. Ils savent dans leur cœur combien ce message est important pour soulager la souffrance de notre monde.

Maintenant que Johanna se consacre à une noble cause, elle ne ressent plus la honte de son héritage ou des événements de son passé. Pour la première fois de sa vie, elle comprend vraiment la raison profonde de la souffrance et du trouble intérieur qu'elle a connus durant toutes ces années. En fait, elle bénit sa douleur, qui lui a donné la sagesse dont elle avait besoin pour apporter sa contribution au monde. Johanna pleurait lorsqu'elle m'a confié que toute sa vie elle s'était posé cette question : « Pourquoi suis-je ici ? » Maintenant, elle avait sa réponse. Faire partie d'une réalité plus grande qu'elle-même lui avait fait connaître la paix qu'elle avait toujours désirée. Maintenant, elle prend davantage soin d'elle — par exemple, dans sa façon de s'alimenter et de communiquer avec elle-même — car elle sait qu'elle détient un don spécial qui sert à apporter un soulagement au monde.

Le travail de Johanna a porté fruit. Elle a trouvé la spécialité qui était dissimulée dans la douloureuse histoire de sa vie. Elle s'est engagée à jouer un rôle de catalyseur dans la réconciliation entre les Allemands et les Juifs. Récemment, elle m'a avoué que si elle n'avait pas eu la volonté de mettre fin à sa honte et de dissoudre les grumeaux de son mélange, elle n'aurait jamais eu le courage de même engager la conversation avec une personne juive.

● ● ●

Nos spécialités sont souvent issues de notre souffrance. Ce sont des dons uniques que nous devons partager. Toutes les spécialités se valent et il n'en existe pas deux identiques. Notre spécialité est ce qui nous permet d'utiliser notre histoire au lieu qu'elle nous domine. C'est notre moyen d'apporter notre contribution au monde, de savoir que nous agissons sur notre réalité et que nos expériences avaient un but. Le processus qui nous fait découvrir notre spécialité nous amène à donner aux événements de notre vie un nouveau sens qui nous élève et nous propulse hors des limites de notre histoire. Nous avons tous le choix. Nous pouvons mélanger les ingrédients que nous avons reçus pour en faire un chef-d'œuvre qui nourrira notre âme et celle des personnes de notre entourage. Ou nous pouvons décider de ne pas faire cuire notre précieuse recette. Dévoiler votre spécialité unique est l'étape la plus importante dans le processus de transformation de votre vie. Votre spécialité vous permettra de vous affirmer avec fierté et de sentir votre puissance dans la vie.

ACTIONS REQUISES POUR LA GUÉRISON

1. Pensez à dix événements — positifs ou négatifs — qui ont marqué votre vie. Réfléchissez à chacun, en vous posant les questions suivantes :

De quelles connaissances et habiletés ai-je hérité grâce à cette expérience ?

Comment puis-je utiliser cet incident pour évoluer et apporter quelque chose à mon entourage ?

Si ma vie servait à combler un besoin particulier dans le monde, quel serait-il ?

2. Imaginez qu'on vous a invité à enseigner un cours basé sur l'ensemble des expériences de votre vie. Quel serait le titre de votre cours ?

Contemplation

« Je possède une spécialité qui n'appartient qu'à moi. Je peux la partager sans crainte. »

Chapitre 9

VIVRE À L'EXTÉRIEUR DE VOTRE HISTOIRE

V ivre à l'intérieur de notre histoire nous assure une vie remplie de crainte et de manque. La crainte nous rappelle de prendre garde, de nous cacher et de ne pas prendre trop de place afin de ne pas nous exposer. Le manque nous porte à blesser notre âme en essayant de saisir tout ce qui pourrait nous faire sentir ou paraître mieux. Lorsque nous sommes avides, lorsque nous portons des jugements sur nous-mêmes ou sur les autres, il est certain que nous vivons dans notre histoire. Hors de notre histoire, pas de manque. Il n'y a que la croyance et le savoir intérieur que tout est comme il se doit. En écoutant notre discours intérieur et en vérifiant souvent auprès de nous-mêmes, nous sommes en mesure de déterminer si nous nous trouvons à l'intérieur ou à l'extérieur de notre histoire.

Hors des limites de nos drames personnels, notre discours intérieur reflète les possibilités infinies qui s'offrent à nous à chaque instant. Nous sommes empreints de sentiments qui expriment notre moi le plus élevé. Notre savoir intérieur nous dit : « J'ai confiance que l'univers me mènera là où je dois aller. J'aime la vie. Tout se déroule selon le plan divin. J'ai tout ce dont j'ai besoin. Je suis complet. Je suis béni. Je peux réussir. Je crois en moi. Que puis-je offrir aux autres ? » Hors de notre histoire, nous connaissons l'excitation, la joie, l'abondance, l'ouverture, l'enthousiasme, l'exaltation, la confiance, la gratitude, le respect, le savoir intérieur, la confiance en soi, l'amour inconditionnel et l'énergie illimitée.

SORTIR DE VOTRE HISTOIRE

Nous connaissons tous des moments où notre discours intérieur reflète davantage nos drames personnels que notre magnificence. Pour sortir de notre histoire, nous devons d'abord reconnaître que nous y sommes emprisonnés. Nous devons être capables de dire : « Voici mon histoire. Voici mes croyances sous-jacentes. Voici ma radio invisible qui me casse les oreilles toute la journée. » Lorsque, en nous réveillant le matin, la première chose que nous entendons de notre radio invisible est : « Tu ne vaux rien. Tu n'obtiendras jamais ce que tu désires. » ou encore : « Tu as très mauvaise mine. Pourquoi ne te nourris-tu pas mieux ? » la plupart d'entre nous, au lieu de prendre conscience que notre histoire nous a rattrapés, y entrons de plain-pied. Nous mordons à l'hameçon. Nous nous laissons entraîner. Non seulement prêtons-nous attention à cette voix, mais nous devenons cette voix. Au lieu de regarder le film, nous devenons la vedette du film.

Récemment, j'ai passé du temps avec Ethan, un guérisseur de trente-trois ans qui pratique selon l'approche holistique. Il m'a confié qu'il se sentait complètement différent lorsqu'il était dans son histoire, dont le thème était : « je ne suis pas en sécurité dans le monde ». Intriguée, j'ai voulu en apprendre davantage.

Comme bien des gens, Ethan s'est efforcé pendant des années de progresser sur le plan personnel. Voulant se transformer, il a cherché un peu partout, a acquis technique après technique pour tâcher d'acquérir une sécurité intérieure et grandir. Ethan savait qu'en lui-même il était bien davantage que ce qu'il avait pu découvrir jusqu'à maintenant. Frustré par son incapacité de réussir professionnellement et de combler son besoin de sécurité, Ethan s'engourdissait avec la marijuana, espérant y trouver la paix et la satisfaction. Désirant briser les frontières entre le moi qu'il connaissait et le moi dont il rêvait, Ethan s'est inscrit à mon programme d'encadrement. L'un des premiers exercices qu'il a dû faire consistait à découvrir les histoires qui entouraient chaque aspect de sa vie. Il a commencé par se questionner sur les raisons pour lesquelles il fumait de la mari. Son histoire lui disait que cela stimulait sa créativité et augmentait sa confiance en soi. Mais en réalité, la mari l'éloignait de la vie qu'il désirait. Cette dépendance le coupait de sa souffrance, mais aussi de sa passion. Je lui ai demandé de déceler les sentiments et les autres comportements que renfermait son histoire.

En vivant dans les limites de son histoire, Ethan passait des heures chaque jour à fumer de la marijuana et à fantasmer sur ce que sa vie pourrait être. Il se faisait tout un cinéma avec différents projets et s'imaginait que cette planification sans fin constituait un premier pas vers leur réalisation. Ethan était constamment « en train de se préparer » à passer à l'action, mais la peur l'empêchait d'agir concrètement. Pris dans son histoire, Ethan avait peur de partager ses rêves avec les autres, croyant qu'en agissant ainsi, il perdrait son élan et sa capacité de les réaliser. Voulant être accepté, Ethan craignait la désapprobation des autres qui, selon lui, pourraient ne pas le soutenir.

Dans son histoire, Ethan se sentait petit par rapport à l'immensité du monde. À tout instant, il devenait craintif, anxieux, insensible, en colère, résigné, désespéré et victime. Il manquait de sécurité ; en conséquence, il se cachait pour ne pas être remarqué.

Un matin, après une autre soirée passée dans le fantasme et le délire, Ethan s'est regardé dans le miroir et a aperçu un homme vieillissant qui n'avait pas réalisé ses rêves. Il a vu le visage d'un imposteur, d'une personne qui prétendait être sur la voie du succès quand, en réalité, son histoire n'allait nulle part. Après des années de travail sur lui-même, Ethan a pris la décision d'abandonner la marijuana et de vivre hors de son histoire.

Ethan a alors pu ouvrir son cœur et se sentir à l'aise d'exprimer ses sentiments aux gens de son entourage. Maintenant, il partage ses projets d'avenir avec les autres avant même de savoir comment il les réalisera, confiant qu'il sera guidé vers les gestes à poser. À l'extérieur de son histoire, Ethan consacre moins de temps à la planification et plus de temps à l'action. Il se soucie moins d'être accepté et se permet d'essayer de nouvelles choses. Il se préoccupe de sa santé, prend soin de son corps et ne fume pas de marijuana. Ethan m'a confié qu'il se sentait suffisamment fier de lui pour tenter d'exercer une influence sur son entourage, qu'il soit apprécié ou non.

Débarrassé des limites de son drame personnel, Ethan se sent solidaire, optimiste, créatif, confiant, soutenu et en sécurité dans le monde. Il a l'impression d'être en pleine possession de ses moyens, que la vie lui offre une infinité de possibilités. Il se sent honnête et authentique, puissant et productif. Et, plus que tout, il sent qu'il est important.

ÊTES-VOUS À L'INTÉRIEUR OU À L'EXTÉRIEUR ?

L'une des étapes les plus importantes pour sortir de notre histoire consiste à pouvoir reconnaître les moments où nous y sommes enfermés. Suzanne était l'une des participantes à un atelier que je dirigeais récemment, dans lequel nous discutions des limites à l'intérieur desquelles notre histoire nous confinait. Elle m'a raconté que le dernier jour du processus, elle s'était levée tôt et s'était assise à la fenêtre de sa chambre d'hôtel qui surplombait une baie magnifique. Le paysage était superbe et elle s'était sentie totalement en paix. Installée dans un fauteuil confortable, elle avait ouvert la porte coulissante pour respirer l'air marin et elle avait décidé que le décor était parfait pour quelques minutes de méditation paisible. Elle avait donc fermé les yeux et respiré profondément. Mais en quelques secondes, elle s'était rappelée une situation humiliante qu'elle avait vécue avec un homme, plus de vingt ans auparavant. Déçue que ce souvenir vienne interrompre sa tranquillité, bientôt elle s'était sentie une victime, humiliée, impuissante. La scène repassait continuellement dans son esprit. En une seconde, elle s'était retrouvée au cœur de son histoire, selon laquelle elle ne méritait pas d'être traitée avec respect. Au lieu de se retirer en se disant : « oh non, me revoilà dans mon histoire », elle s'était mise à écouter sa radio invisible, qu'elle avait entendue des milliers de fois. En peu de temps, son sentiment de calme et de paix avait été remplacé par la colère, l'oppression et la haine de soi.

À cet instant même, un troupeau de canards s'était arrêté juste devant sa chambre, en criant : « couac, couac, couac ». Suzanne, incrédule, avait ouvert les yeux. C'était comme si l'univers lui avait envoyé un message pour lui dire qu'elle était retournée dans son histoire. Les canards reflétaient son discours intérieur : « pauvre de moi, couac, couac, couac ». Elle avait éclaté de rire et avait décidé d'utiliser l'onomatopée « couac, couac » chaque fois qu'elle s'échappait de la plénitude de son être et retournait dans son histoire.

DEVENIR L'OBSERVATEUR

Pour pouvoir transcender nos drames, nous devons nous engager à ne plus utiliser notre histoire pour nous malmener. Nous devons avoir la volonté de cesser de nous complaire dans nos drames, d'arrêter de leur accorder notre attention. Si vous avez déjà pratiqué la méditation, vous avez probablement remarqué que votre esprit est un flux constant de pensées. Mais si vous êtes sérieusement engagé dans votre pratique de la méditation, vous choisissez de simplement observer vos pensées au lieu de les suivre là où elles vous mènent. À la longue, vous découvrez qu'à un certain stade, votre esprit comprend que vous ne mordrez pas à l'hameçon et il abandonne. Il lâche prise et vous devenez le témoin du fonctionnement de votre esprit. Le même scénario s'applique à notre histoire. En refusant de la jouer, nous pouvons nous en éloigner. La chose la plus importante que nous puissions accomplir pour nous libérer de notre histoire est de reconnaître qu'elle n'est qu'une histoire au lieu d'y adhérer, de croire qu'elle raconte la vérité. Plutôt que de suivre aveuglement les directives de notre radio invisible, nous pouvons nous dire : « Merci pour cette pensée, mais pour le moment j'en préfère une autre. » Tôt ou tard, notre histoire cessera de se répéter puisqu'elle ne peut exister que si nous y croyons. Notre histoire se nourrit de l'attention que nous lui accordons.

En coupant la communication avec notre histoire, elle n'a plus de contrôle sur nous. Nous choisissons simplement de ne plus nous identifier à elle. Pour y arriver, nous n'avons qu'à déclarer à haute voix : « oh non, me revoilà dans mon histoire ». Comme avec la télévision. Nous pouvons choisir de ne pas l'écouter même quand elle est allumée. Voici la question que nous devons nous poser : « Est-ce que je veux alimenter mon histoire et lui donner mes énergies ? » Si nous répondons oui, nous devons alors à tout prix lui faire face et l'écouter. Mais il faut le faire de manière consciente. Nous avons tous le droit de nous replonger dans notre histoire de temps en temps. Nous pouvons nous dire : « C'est mardi après-midi et je n'ai rien de mieux à faire. Je vais donc passer un peu de temps à me rejouer mon drame personnel. » Au moins, nous sommes alors responsables de ce que nous créons.

DES STRATÉGIES POUR SORTIR DE VOTRE HISTOIRE

Un nombre infini de choix s'offrent à nous, quand nous désirons transcender notre histoire. Nous pouvons nous recueillir et converser avec notre histoire, nous pouvons laisser cette partie de nous s'exprimer par l'écriture. Nous pouvons dire : « Excuse-moi. Je sais que tu désires quelque chose, mais j'ai d'autres projets pour aujourd'hui. » Ou encore, nous pouvons choisir de nous adresser à Dieu. Il existe un dicton selon lequel « quand on pense à Dieu, on ne pense pas à ses problèmes ». Les vibrations de notre histoire entrent en contradiction totale avec celles de notre moi le plus profond. Nous ne pouvons ressentir les deux en même temps.

Il est important de déterminer quelques stratégies pour échapper à notre histoire quand nous nous apercevons que nous y sommes retournés. En voici quelques-unes auxquelles nous pouvons recourir afin d'accéder à la vie qui nous attend hors des limites de nos drames personnels.

Demandez aux personnes impliquées dans vos traumas de vous donner leur version de l'histoire. Une nouvelle perspective nous permet de nous rendre compte immédiatement que notre histoire n'est qu'une version de la vérité. Pendant que j'écrivais ce livre, j'ai envoyé les premiers chapitres à mon frère Mike par courrier électronique afin de recueillir ses commentaires. Dans sa réponse, il a souligné une distinction très importante, que voici :

L'histoire de notre vie est constituée de perceptions et de faits dans une proportion respective de 90 et de 10 pour cent. Chaque personne perçoit le même ensemble de faits d'une manière différente. Dans le cadre de mon travail en tant que conseiller juridique, j'écoute quotidiennement des avocats qui considèrent le même ensemble de faits non contestés et qui en font des histoires qui servent le meilleur intérêt de leurs clients. Ils ne recherchent pas ou très peu la vérité. Seule compte une collection d'arguments qui seront perçus de différentes façons par diverses personnes. Malheureusement, bon nombre d'entre nous choisissons de considérer notre vie à partir de la perspective la moins favorable. Ce faisant, nous devenons des victimes et blâmons les autres de notre malheur, au lieu d'accepter la responsabilité de la part de notre destin qui est une conséquence de nos propres choix.

Plus tard, Mike m'a téléphoné pour me dire : « Au fait, Debbie, l'histoire que tu racontes à propos de ton enfance n'est pas vraie. » « Que veux-tu dire ? lui ai-je demandé, c'est moi qui l'ai vécue. » « Non Debbie. Je voulais que tu sois là. J'étais si heureux d'avoir une petite sœur. » Étonnée, j'ai invité Mike à rédiger sa version de mon enfance. Voici ce qu'il a écrit :

Voici ma version de l'enfance de Debbie. Debbie est née dans une famille nucléaire typique et toutes les personnes qui l'ont connue dès son plus jeune âge l'adoraient. Dans tous mes souvenirs de son enfance, Debbie est entourée d'amis qui aimaient sa compagnie. Maman lui a donné beaucoup d'affection et d'attention. Elle l'amenait à ses cours de danse, d'autodéfense, de natation, d'arts plastiques et de théâtre presque à tous les jours. J'admirais la capacité de Debbie d'entreprendre chaque nouvelle journée avec enthousiasme et énergie. Personne ne l'intimidait et elle excellait dans tout. Debbie avait beaucoup de maturité pour son âge et à onze ans elle était mannequin et sortait avec des garçons plus vieux. Elle avait du magnétisme. Tous recherchaient son amitié et voulaient la suivre partout. Il n'y avait rien à son épreuve.

J'en étais bouche bée. Voilà que je découvrais une perspective qui ne m'avait jamais effleuré l'esprit. Le point de vue de Mike m'ahurissait complètement. Ainsi, la perspective des autres sur nos drames personnels peut nous aider à démanteler ce que nous tenons pour la vérité.

La transformation vient d'un changement de perception. Il s'agit de la faculté de voir les choses d'un œil neuf. Pour obtenir une nouvelle perspective, rien n'est plus efficace que de poser un regard nouveau sur la réalité limitée que nous tenions pour vraie. Il nous faut comprendre que notre vision — ce que nous percevons à chaque instant — est limitée par nos interprétations. Dès le moment où nous donnons un sens aux événements de notre vie, nous limitons notre vision de la réalité. S'intéresser à la perspective d'autres personnes nous amène à voir un autre point de vue.

Réécrivez votre histoire comme si vous étiez un éternel optimiste qui ne peut qu'en voir le côté léger. Mettez l'accent sur les aspects positifs de votre histoire de même que sur les dons que vous avez reçus. À quoi ressemblerait votre vie aux yeux d'un ange ? Nous pouvons considérer l'ensemble de nos expériences comme de mauvais souvenirs auxquels nous n'échappons pas ou nous pouvons les voir d'une façon qui nous fournira une base solide à partir de laquelle nous sommes en mesure de nous bâtir un avenir satisfaisant. Soit nous apprenons des leçons de notre passé et nous avançons, soit nous y restons accrochés.

Apprenez à reconnaître les moments où vous retournez dans votre histoire. Pour vous aider, dressez la liste de dix pensées, sentiments, habitudes ou comportements qui se manifestent lorsque vous vivez dans votre histoire. Puis, faites la liste de dix pensées, sentiments, habitudes ou comportements qui se manifestent lorsque vous vivez à l'extérieur de votre histoire. À quoi avez-vous accès lorsque vous sortez de votre histoire ? Enfin, énumérez dix façons d'élever votre conscience et de revenir à la meilleure expression de votre moi quand vous vous apercevez que vous êtes retourné dans votre histoire. J'ai demandé à Helen, une participante à mon programme d'encadrement, de partager avec nous ses listes.

À L'INTÉRIEUR DE MON HISTOIRE...

Je mange trop.
Je bois de la bière.
Je raconte des ragots.
Je me compare aux autres.
Je cache la vérité aux autres et je laisse le ressentiment
se créer.
Je prive mon mari de relations sexuelles.
Je convaincs les autres que je suis une victime de la vie.
Je juge et je critique tout ce que j'accomplis.
J'accuse mes enfants de mon manque de plaisir.
Je me plains sans arrêt.

À L'EXTÉRIEUR DE MON HISTOIRE...

Je refuse de participer aux racontars.
Je perçois les gens sous leur meilleur jour.
Je pratique le yoga.
Je m'exprime librement.
Je communique mes sentiments et règle mes problèmes.
J'apprécie les bienfaits dans ma vie.
Je bois rarement de l'alcool et en petites quantités.
Je suis énergique et serviable.
J'instaure une atmosphère d'énergie positive pour toute
la maisonnée.
J'apprécie la nourriture, mais elle ne me sert pas à éviter
de ressentir mes émotions.

CE QUE JE PEUX FAIRE POUR SORTIR DE MON HISTOIRE

Méditer au moins pendant quinze minutes.
Aller marcher d'un bon pas.
Jardiner. Embellir mon environnement.

M'asseoir par terre pour jouer avec mes enfants.

Lire un livre stimulant.

Écrire mon journal jusqu'à ce que je parvienne à une compréhension plus profonde.

Téléphoner à une personne dont j'estime les opinions.

Offrir quelque chose à quelqu'un.

Pratiquer le yoga.

Montrer ma gratitude pour les bienfaits dans ma vie.

Utilisez le questionnaire qui suit pour vous aider à demeurer hors de votre histoire. À partir de vos sentiments sur vous-même et les autres, de votre manière de percevoir la réalité, de la façon dont vous interprétez les événements de votre vie, vous pouvez savoir si vous vous trouvez à l'intérieur ou à l'extérieur de votre histoire.

Dites si chacun des énoncés suivants est vrai ou faux.

Je sens que mes besoins ne sont pas satisfaits.

Je manque de temps.

Je manque d'argent.

J'essaie, mais je ne comprends pas.

Les autres sont la cause de mes problèmes.

Je pense : « Si seulement j'avais plus de… »

J'ai le même discours intérieur depuis plus de deux semaines.

Je crois que je n'ai pas d'histoire.

Je recours à plus d'un comportement qui me cause du tort.

Cette semaine, j'ai téléphoné à une personne pour lui faire part de mon triste sort.

Si vous avez répondu « vrai » à plus de quatre énoncés, vous êtes très pris par votre histoire. Engagez-vous immédiatement à vous en libérer. Il est important de demeurer vigilants et conscients dans notre vie de tous les jours. Il est triste de constater un bon matin que nous vivons dans notre histoire depuis deux semaines, mois ou années. En nous demandant chaque jour : « suis-je en dedans ou en dehors ? » nous apportons la lumière de notre conscience vers ce qui était auparavant dissimulé dans l'ombre.

Si vous trouvez difficile d'abandonner votre moi limité, je vous conseille de vous tenir devant un miroir et de vous raconter votre histoire commençant par « pauvre de moi » jusqu'à ce que vous ne supportiez plus de l'entendre. Vous saurez que vous avez réussi cet exercice quand vous sentirez un malaise à l'estomac. Toutefois, si vous n'êtes pas encore guéri, je vous recommande de vous rendre dans un café et de raconter votre histoire à cinq personnes étrangères. Vous n'avez qu'à aborder une personne qui est seule et à lui proposer : « J'ai une histoire fantastique à vous raconter. Vous voulez l'entendre ? » Vous finirez par trouver une personne qui veut bien vous écouter. Racontez-lui alors votre triste récit avec émotion. Dites pourquoi et comment votre vie est devenue ce qu'elle est. Montrez-lui qu'un bon drame accompagne très bien un café et une brioche. Et si vous vous sentez encore attaché au drame de votre histoire, retournez au café et demandez à cinq étrangers de vous raconter leur histoire. À ce stade, vous devriez être parfaitement conscient qu'il est ici question de simples histoires, rien de plus.

Si aucun des exercices précédents n'a donné de résultat, vous pouvez toujours tenter une bonne vieille cérémonie de mise à mort. Faites semblant que vous êtes mort et qu'une personne que vous aimez fait l'éloge de la vie que vous avez vécue à l'intérieur votre histoire, à vos funérailles. Rédigez cet éloge et, après l'avoir lu, posez-vous cette question : « Est-ce bien ce que je veux laisser comme souvenir ? » J'ai invité mon amie Colleen à rédiger son éloge funèbre. Voici le résultat.

Colleen était une femme très intelligente qui avait un grand potentiel. Même si son départ dans la vie a été difficile, elle est allée de l'avant, déterminée à se réaliser. Mais pour une raison quelconque, elle acceptait toujours les mauvais emplois, travaillait pour les mauvaises personnes et n'obtenait certainement pas le salaire qu'elle méritait. Il se trouvait toujours quelqu'un pour l'empêcher de briller. Si seulement elle avait eu une chance. Si seulement elle avait eu d'autres parents ou une meilleure éducation. Si seulement ses talents avaient été découverts. Colleen attendait le jour où elle pourrait enfin laisser sa marque. Et aujourd'hui nous pouvons constater que Colleen n'a jamais eu cette possibilité. Ensemble, prions pour Colleen : « Pauvre Colleen! » Qu'elle repose en paix avec son histoire.

Après avoir rédigé votre éloge funèbre, faites-le entendre à vos amis. Procurez-vous des fleurs et de la nourriture et organisez une cérémonie. Puis, laissez votre histoire reposer en paix.

● ● ●

À chaque instant, vous devez avoir la volonté de sortir de votre histoire. Vous devez être prêt à sacrifier ce que vous croyez être au profit de la personne que vous pouvez devenir. Vous devez abandonner l'étroitesse de votre histoire pour envisager l'ampleur de votre véritable essence. À chaque instant, vous avez un choix.

ACTIONS REQUISES POUR LA GUÉRISON

1. Afin de distinguer les moments où vous êtes à l'intérieur et à l'extérieur de votre histoire, établissez les listes proposées ci-après.

Dix sentiments que vous éprouvez lorsque vous êtes à l'intérieur de votre histoire et dix sentiments qui se manifestent lorsque vous en sortez.

Dix pensées qui vous viennent à l'esprit lorsque vous êtes à l'intérieur de votre histoire et dix pensées qui se manifestent lorsque vous en sortez.

Dix comportements que vous avez lorsque vous êtes à l'intérieur de votre histoire et dix comportements qui se manifestent lorsque vous en sortez.

Dix gestes que vous pouvez poser pour sortir de votre histoire lorsque vous vous rendez compte que vous y êtes retourné.

2. Écrivez une lettre à votre histoire en lui rendant hommage pour tout ce qu'elle vous a enseigné et en reconnaissant que votre lien à elle changera dès que vous déciderez de vivre hors de ses limites.

3. Inventez un rituel pour dire adieu à votre histoire dans le cadre duquel vous renoncez à vous diminuer et à demeurer petit. Voyez-le comme une ressource pour réaliser votre but dans la vie.

Contemplation

« Hors de mon histoire,
j'apporte une contribution
considérable au monde. »

Chapitre 10

LE SECRET OUBLIÉ

Un merveilleux secret a été oublié dans l'ombre de notre histoire. Ce secret détient la clé du déploiement de notre magnificence. Notre secret est le gardien de la joie immense, de possibilités infinies et de la félicité divine. Imaginez que vous êtes le gardien des trésors les plus rares et les plus précieux de la terre. Vous faites certainement tout votre possible pour les protéger. En tant qu'être humain, nous faisons de même. Au plus profond de nous-mêmes, nous savons que notre essence est divine.

Notre magnificence et notre lumière sont si précieuses que nous les camouflons sous de nombreuses couches protectrices. Puisque nous craignons d'exposer cette partie de nous, nous créons continuellement des drames pour cacher ce qui doit être protégé. Tous nos drames, toutes nos souffrances et notre insatisfaction dissimulent le secret de notre lumière. Lorsque, finalement, nous en avons assez de notre histoire, lorsqu'elle ne nous apporte plus aucun confort, nous sommes prêts à dévoiler notre don précieux. Lorsque nous croyons être dignes de notre lumière et que nous sommes certains de pouvoir en prendre soin, nous nous sentons libres de dévoiler le plus grand pouvoir de tous : le pouvoir de notre nature véritable.

L'EXPÉRIENCE HUMAINE

Nous sommes des explorateurs et les terres que nous parcourons sont notre propre expérience humaine. Si nous avions choisi de vivre une expérience divine ou dans un autre monde, nous n'existerions pas sous la forme humaine. Mais nous avons choisi l'expérience humaine et dans ce voyage, nous sommes des apprenants qui doivent progresser et découvrir le sens de leur nature. L'expérience humaine nous fait voyager par les chemins des drames de notre histoire, par les fausses identités qui, pensions-nous, constituaient notre vrai moi. Elle nous amène à naviguer dans une mer d'émotions pour que nous puissions comprendre à fond ce que signifie être humain.

En dévoilant notre secret, nous nous rapprochons intimement de notre moi divin, de notre essence spirituelle. La révélation de notre secret unit notre humanité à notre divinité. En parcourant le chemin de notre histoire, en comprenant notre humanité à un degré profond, nous bénéficions du courage de laisser tomber nos masques, de cesser de jouer la comédie, de nous libérer de nos drames et d'affronter la présence de notre moi véritable. Ce n'est qu'à ce moment que nous nous sentons suffisamment sûrs de nous pour déclarer, dans toute notre splendeur : « Voici qui je suis. »

Afin de pouvoir laisser régner notre secret, il nous faut d'abord assumer le rôle du guerrier dans notre exploration de la vie. Nous devons creuser, explorer et connaître le terrain de notre humanité. Car ce n'est que lorsque nous nous connaissons et nous comprenons vraiment, lorsque nous avons parcouru le chemin de notre passé, que nous pouvons ouvrir grands les bras et déclarer avec l'enthousiasme d'un enfant : « Je suis de nature divine. Je suis digne de tout ce que l'univers a à offrir. » Ce n'est que lorsque nous aurons accompli ce travail intérieur essentiel que nous nous sentirons suffisamment sûrs de nous pour révéler à tous notre secret.

Souvent le dévoilement de notre secret nous laisse un sentiment de vulnérabilité car nous ne savons plus qui nous sommes. Il peut être terrifiant d'abandonner nos fausses identités, les masques qui cachaient notre vérité la plus profonde, et d'exposer l'essence de notre être. Lorsque, enfants, nous affichions nos dons, nous avons souvent été humiliés, ignorés ou critiqués. Ainsi, devenus adultes, nous cachons la partie de nous-mêmes qui nous paraît la plus vulnérable.

Une fois que nous avons révélé notre secret, nous nous apercevons que nos drames et nos justifications ne nous protègent plus. Notre intellect ne nous sert plus. Nous ne pouvons que prendre la voie de notre lien avec le divin. Tant que nous nous sentirons indignes, tant que nous n'aurons pas tiré de notre histoire les leçons que nous devons en apprendre, tant que nous n'aurons pas accordé notre pardon — à nous-mêmes et aux autres — et tant que nous n'aurons pas mis un terme à notre lutte humaine, une barrière nous empêchera d'accéder à notre divinité.

En effectuant le travail proposé dans ce livre, vous vous êtes préparé en vue du voyage extraordinaire vers votre vie divine. Vous êtes maintenant prêt à abandonner votre histoire et à faire connaître votre secret, votre lumière sacrée. Le processus que vous avez entrepris pour accepter et intégrer votre histoire a posé les bases nécessaires pour vous permettre de vivre hors des limites de vos drames personnels. Si vous avez effectué le travail suggéré dans ce livre, vous devriez connaître votre histoire à fond et savoir qu'elle se distingue de ce que vous êtes. Vous avez découvert que cette histoire recelait une recette unique et qu'en acceptant et en intégrant tous les aspects de votre vie, vous pouviez trouver votre but véritable. Lorsque vous avez compris que tout ce qui vous est arrivé vous a fait acquérir la sagesse dont vous avez besoin pour offrir votre don unique au monde, vous avez la capacité de guérir vos blessures émotionnelles et les traumas de votre passé. S'amorce alors le processus consistant à faire la paix avec votre histoire en examinant les façons dont vous vous êtes fait du mal ainsi qu'aux autres et en vous engageant à équilibrer votre balance karmique intérieure.

En faisant le ménage de votre passé, vous découvrez le caractère sacré du pardon, qui vous donne accès à un niveau d'amour de soi et de dignité plus élevé. Vous ne ressentez plus le besoin de cacher votre lumière par crainte qu'elle vous soit dérobée. Bien ancré dans votre sentiment de dignité, vous êtes maintenant libre d'utiliser la sagesse que vous avez retirée de votre histoire pour offrir vos dons spéciaux au monde. Maintenant que vous avez découvert votre spécialité propre et compris votre dignité profonde, vous êtes prêt à révéler le secret qui a été oublié dans l'ombre de votre histoire. Vous êtes prêt à reconnaître la vérité la plus profonde de ce que vous êtes. Conscient de votre don, vous êtes en mesure de remercier votre histoire et d'apprécier tout ce qu'elle vous a enseigné, sachant que c'est ce qui vous a amené à comprendre en profondeur le sens de ce que vous êtes. Votre travail accompli, vous n'avez plus besoin de protection, de défenses, ni de masques et vous êtes prêt à divulguer votre secret.

RÉVÉLER VOTRE SECRET

Lorsque nous révélons notre secret, nous nous sentons vulnérables car il est resté caché très longtemps. Mais ce n'est qu'en acceptant cette vulnérabilité que nous pourrons jouir du bienfait de notre propre lumière. Sydney était assise par terre dans mon bureau et pleurait. Entre deux sanglots, elle me racontait les événements de son enfance qui lui avaient donné l'impression de ne pas être aimée, d'être ignorée et insignifiante. Une fois, sa mère avait oublié d'aller la chercher à un camp. Une autre fois, elle s'était retrouvée seule à son anniversaire. Puis, personne n'avait assisté à la pièce de théâtre dans laquelle elle avait joué à l'école. Et personne ne lui avait dit comme elle était jolie dans son costume de sorcière noir et ses chaussons de danse assortis. Benjamine de la famille, Sydney avait toujours l'impression que son opinion ne comptait pas. Elle faisait tout pour que ses parents — qui l'avaient déçue plus d'une fois — la remarquent. J'ai demandé à Sydney : « Comment as-tu interprété leur comportement ? » Les pleurs ont recommencé de plus belle et elle m'a répondu : « Pour moi, cela signifiait qu'ils ne se souciaient pas de moi, que je ne comptais pas pour eux, que je ne valais rien. Je n'avais pas d'importance. »

Sydney a aujourd'hui une carrière florissante comme réalisatrice de films. Malgré cela, en elle-même elle se sent encore comme une petite fille de cinq ans qui croit qu'elle n'a pas d'importance. Malgré ses succès et ses accomplissements, elle désire encore être reconnue. À son travail et dans sa vie personnelle, elle s'efforce d'être généreuse et attentionnée envers les gens en espérant qu'elle aura alors suffisamment d'importance pour eux qu'ils lui accorderont leur attention. Elle se montre amicale et compréhensive, offre une bonne écoute et ne compte ni son temps ni son argent. Toutefois, à l'opposé de l'image qu'elle projette dans le monde extérieur, quand elle se couche le soir, elle a toujours l'impression que sa vie importe peu.

Lorsque j'ai demandé à Sydney quel cadeau lui apportait son sentiment de ne pas compter, elle m'a regardée comme si j'étais devenue folle : « Cela ne m'apporte aucun cadeau », a-t-elle répliqué. J'ai poursuivi : « Est-ce que ce sentiment t'a amenée à faire ou à devenir quelque chose en particulier ? » Soudain, Sydney a commencé à comprendre que son histoire et chacun de ses accomplissements avaient été provoqués par la croyance sous-jacente qu'elle n'était pas importante. Cette croyance lui avait donné sa spécialité : montrer aux autres qu'ils avaient de l'importance, et l'avait amenée à créer des choses extraordinaires. Sydney s'efforçait de toujours réaliser des films qui, selon elle, allaient intéresser le public. Elle savait comment rassembler les gens et faire en sorte qu'ils se sentent importants, les poussant ainsi à donner le meilleur d'eux-mêmes. Parce qu'elle avait appris de la vie combien il était pénible de se sentir insignifiant, elle savait ce qui comptait. Sydney s'est rendu compte que tous ces incidents douloureux de son enfance lui avaient valu une maîtrise en insignifiance, précisément ce qui l'avait rendue unique dans son domaine. Lorsqu'elle a mis fin à la douleur entourant sa croyance sous-jacente qu'elle n'avait pas d'importance, elle a pu découvrir sa spécialité propre et faire sa contribution au monde.

Sydney a vu à quel point elle avait été attachée à son histoire et comment toute sa vie elle l'avait utilisée pour se priver de la joie de ses réussites. Mais maintenant qu'elle avait trouvé sa spécialité unique, elle sentait qu'elle méritait sa joie et ses dons. J'ai ensuite suggéré à Sydney que son histoire n'existait que pour couvrir le précieux trésor qu'elle détenait. Je l'ai invitée à fermer les yeux avant de lui poser cette question : « Quel secret ton histoire a-t-elle dissimulé ? » Nous sommes demeurées silencieuses pendant quelques minutes, puis j'ai vu un grand sourire illuminer son visage tandis qu'elle murmurait : « J'ai beaucoup apporté au monde. Je suis importante. » Avec force et clarté, Sydney reconnaissait ses paroles pour vraies. Le travail qu'elle accomplissait changeait vraiment la vie des gens. Après avoir dévoilé son secret, Sydney savait que jamais elle ne pourrait retourner dans le mensonge de son histoire. En présence de son précieux don, Sydney a assisté à l'effritement de son histoire. Pour la première fois, dans sa vie et dans son travail, elle sentait l'immense joie d'avoir apporté une grande contribution au monde.

La révélation de notre secret dissout toute notre histoire. Peut-être sentez-vous que de révéler votre secret et d'offrir vos dons au monde constituent une énorme responsabilité. Voilà encore une histoire ! Exprimer votre lumière n'est pas une responsabilité, c'est un honneur sacré. Il ne suffit que d'être ce que vous êtres vraiment, votre moi authentique. Cela ne demande aucun effort, aucun accomplissement, aucune lutte. Vous n'avez qu'à vous donner la permission de vous révéler sans votre histoire. Si jamais auparavant vous n'avez laissé briller votre lumière, vous ressentirez peut-être de la crainte, parce qu'en tant qu'êtres humains, nous préférons nous en tenir à ce que nous connaissons. La conscience de notre liberté et de notre nature expansive peut nous effrayer et bon nombre d'entre nous diront inconsciemment : « Redonnez-moi mon histoire pour que je sache qui je suis. »

AFFRONTER LA TEMPÊTE

Nous devons accepter notre vulnérabilité pour permettre à notre secret d'émerger. Nous devons progressivement apprendre à faire confiance aux autres, à nous abandonner non pas à nos désirs mais à ce que l'univers nous enseigne. Nous devons croire que les eaux inconnues nous ramèneront à la rive. Imaginez que vous êtes sur une plage et que vous voyez un gros nuage gris qui se déplace vers vous, accompagné d'un vent soufflant en rafales soulevant d'immenses vagues qui viennent frapper les récifs. Dans un sentiment d'exaltation, vous imaginez comme il serait excitant de naviguer dans la tempête, expérimentant la puissance de la nature et le mystère de l'inconnu. Mais une minute plus tard, vous ressentez de la peur et vos pensées se tournent vers la décision plus sage et prévisible de trouver un endroit où vous abriter jusqu'à ce que la tempête ait cessé. Cependant, qu'en serait-il si vous saviez qu'en naviguant dans la tempête avec le bon équipement vous pourriez arriver sain et sauf là où il fait beau, sur une île gorgée de mille trésors et bijoux étincelants ? Entreprendriez-vous ce voyage ? Accorderiez-vous votre confiance à ceux qui ont fait un tel voyage avant vous et accepteriez-vous leur soutien et leur conseils pour découvrir votre trésor ? Je vous invite à imaginer ce scénario parce que d'exposer le mensonge de votre histoire et de révéler votre secret oublié dans l'ombre peut vous sembler aussi effrayant que de naviguer dans des eaux turbulentes.

C'est ce que pensait Laura, une femme de quarante-six ans qui, depuis quinze ans, était malheureuse dans son mariage rempli de souffrance, de violence et d'isolement psychologique. Tout son entourage savait son histoire par cœur : son mariage tuait son esprit et son mari ne lui donnait pas l'amour et l'attention qu'elle méritait. Laura a découvert la croyance sous-jacente qui maintenait son histoire et reflétait les paroles que lui avait dites son père lorsqu'elle n'avait que douze ans : « Tu ne seras jamais rien sans un homme. » Laura avait vécu dans cette histoire au cours des quinze dernières années de sa vie, comme si elle avait été le personnage d'une pièce de théâtre. Quand je lui ai demandé quel secret dissimulait cette histoire, elle m'a dit en souriant : « Je suis une femme forte et autonome qui serait plus heureuse en vivant seule. » Laura se tenait bien droite et ses yeux lançaient une lueur énergique. Mais en quelques instants, elle a commencé à réduire le pouvoir des mots qu'elle venait de prononcer et elle est retombée dans son histoire. À la fin, Laura avait trop peur pour abandonner le drame qu'elle connaissait si bien et a décidé de garder son secret caché dans le voile de son histoire.

Il arrive souvent que nous sabotions nos rêves en tentant de nous accommoder des limites de notre histoire. Chacun de nous doit faire un choix et se demander : « Suis-je prêt à accepter un certain inconfort pour connaître la magnificence de ma lumière ou est-ce que je préfère rester dans le confort du monde connu ? » Nous sommes les seuls qui pouvons nous convaincre que nous serons en sécurité à l'extérieur du confort de notre histoire. Nous sommes les seuls qui pouvons faire en sorte qu'il soit sans risques d'exposer nos précieux dons.

DÉCOUVRIR VOTRE ESSENCE VÉRITABLE

Notre histoire est l'empreinte de notre existence. Elle est la marque unique que nous laissons dans ce monde. Lorsque j'ai rencontré Matt, il avait trente-deux ans et assistait à son vingt-septième séminaire d'autothérapie. Il souffrait d'une faible estime de soi et d'un sentiment d'indignité. Il mesurait près de deux mètres et avait de longs cheveux blonds qui lui tombaient dans le visage. En l'apercevant, ma première pensée a été : « Que cache-t-il ? » Avec ma main, j'ai repoussé les cheveux de son visage et je lui ai demandé ce que je pouvais faire pour lui. Immédiatement, il s'est mis à me raconter sa vie. Il avait grandi sans son père, dans une petite ville, et s'était toujours senti inadéquat parce qu'il n'appartenait pas à une « vraie » famille. N'ayant jamais beaucoup d'argent, très jeune il avait appris à s'en passer. Lorsqu'il avait sept ans, sa mère avait entrepris une relation amoureuse, ce qui l'avait un peu éloignée de lui. C'était à ce moment qu'avait commencé son vrai problème. Pendant environ une heure, Matt m'a raconté ses démêlés avec la justice et comment il s'était retrouvé dans la rue à quatorze ans, à survivre en se prostituant. Lorsqu'il a été atteint d'une hépatite grave, Matt a décidé de reprendre un mode de vie plus sain. Il s'est trouvé un emploi et a commencé à épargner de l'argent, déterminé à réussir sa vie.

Dans la vingtaine, Matt a entrepris une carrière dans l'immobilier. Il a si bien réussi qu'il a pu acheter de petites maisons, les réaménager et les revendre avec profit. À vingt-cinq ans, il possédait plus de cent propriétés. Trois ans plus tard, il était un homme d'affaires reconnu. Avec plus d'un million de dollars en banque, il s'est mis à élaborer de plus gros projets et, à trente-trois ans, il avait atteint tous ses objectifs sur le plan financier. Malgré tout, il souffrait encore. L'illusion qui lui avait fait croire qu'il serait heureux en possédant davantage d'argent et de biens avait disparu. Maintenant, il se trouvait devant moi et se demandait quoi faire. Malgré son succès, il avait toujours des comportements autodestructeurs. Il se retrouvait dans des endroits où il ne voulait pas être et il n'arrivait pas à être heureux dans ses relations personnelles. Même s'il avait réussi dans le monde matériel, Matt se sentait toujours inadéquat. Il était perdu, ne sachant pas où aller ni quoi faire pour trouver la paix qu'il désirait.

À la fin de son histoire, je lui ai pris la main, je l'ai regardé dans les yeux et lui ai dit qu'avant tout, il devait se faire couper les cheveux. Il était évident qu'il ne voulait pas qu'on le voie. Ses cheveux aidaient à dissimuler sa croyance qu'au fond, quelque chose clochait chez lui. Je lui ai demandé quand il cesserait de prendre des cours pour plutôt les enseigner. Fronçant les sourcils, il m'a regardée d'un air dubitatif. Notre première rencontre venait de prendre fin.

Au cours des quelques années suivantes, j'ai guidé Matt de temps à autre. J'étais surprise de voir à quel point il était intelligent, sensible et intuitif. Il semblait déborder d'amour pour toute l'humanité, sauf pour lui-même. Matt se torturait constamment à cause de son discours intérieur incessant qui lui criait : « Tu n'es pas bon. Tu n'es pas à la hauteur et ta vie ne sert à rien. » Matt commençait la plupart de nos séances en me racontant toutes les choses terribles qu'il ressassait. Il m'a confié qu'il se sentait sale parce qu'il avait vécu dans la rue à un très jeune âge. Il en avait trop vu et trop fait, ce qui l'amenait à se percevoir comme une personne sordide et indigne. Il mettait toujours l'accent sur ses défauts plutôt que sur ce qu'il avait accompli. Peu à peu, j'ai réussi à l'aider à se débarrasser de toutes les histoires qui cachaient son essence véritable.

Il me paraissait évident que Matt était un homme très spirituel qui possédait un don merveilleux à offrir au monde. Lorsque d'après moi il a été prêt à découvrir ce don chez lui, je lui ai demandé : « Quel est le secret que cache ton histoire ? » Matt semblait confus. « Je n'aurais aucune idée de qui je suis sans mon histoire », m'a-t-il répondu. Je soupçonnais que Matt craignait de creuser en lui-même. Je lui ai donc révélé le secret que l'histoire de mon enfance avait camouflé. Je lui ai raconté que lorsque j'étais jeune et que je travaillais dans l'industrie du vêtement, je me tenais avec un groupe de gens qui avaient pour devise : « sexe, drogue et rock 'n' roll ». Je voulais être vue comme une dure à cuire à qui on n'en apprenait pas. Tout ce que je montrais, c'était mon désir de faire de l'argent et d'être reconnue. J'ai passé des années à tenter de couvrir ma sensibilité et mon désir d'une vie plus significative parce que cela ne paraissait pas bien. Lorsque finalement cette histoire est devenue surannée, j'ai eu l'impression que je pourrais trouver la paix dans la vie spirituelle. À mesure que j'évoluais, je découvrais mon désir profond de connaître Dieu. Au début, j'étais embarrassée et j'avais honte car cela ne correspondait certainement pas à mon image. Je ne voulais pas que les gens sachent que je me mettais à genoux pour prier et que je désirais être un instrument du divin. L'histoire de ma vie recelait le secret de qui j'étais vraiment. Elle cachait la vérité : je suis une femme de Dieu et c'est ce que j'aime.

Je voyais dans le regard de Matt qu'il comprenait ce que j'attendais de lui. Je lui ai suggéré de respirer profondément et de fermer les yeux, puis je lui ai reposé la question : « Quel secret cache ton histoire ? » Toujours les yeux fermés, Matt a laissé échapper : « Le secret que cache mon histoire est que je suis une expression pure et innocente de l'esprit. » Il a ensuite ouvert les yeux et nous sommes restés silencieux pendant un bon moment, étonnés par ce qui venait d'être révélé. La clarté de ses yeux m'indiquait qu'il venait de prendre contact avec la vérité divine. Les larmes coulant sur ses joues, Matt m'a dit qu'à l'intérieur de son histoire, il s'était toujours senti mauvais et répugnant, l'exact contraire de ce qu'il venait de s'entendre affirmer. En présence de sa pureté, Matt a pu voir qu'il pouvait offrir sa spécialité au monde en enseignant ce qu'il avait appris. Avant cet instant, Matt avait toujours dénigré sa sagesse et son savoir, préférant suivre les autres au lieu d'être le chef. Mais en présence de sa lumière, Matt a pu découvrir sa spécialité : enseigner aux adolescents perdus à découvrir leurs dons uniques et à les offrir au monde. Matt avait mis au jour un aspect de lui très réel et sacré. Il venait de révéler le secret oublié dans l'ombre de son histoire.

Nous sommes les seuls qui pouvons faire en sorte qu'il soit sans danger de révéler notre secret. Personne, sauf nous, ne peut nous protéger du monde extérieur. Personne ne peut nous sauver ou nous promettre que nous ne serons pas ridiculisés ou que nous n'échouerons pas. Peut-être échouerons-nous et nous pouvons être certains que beaucoup nous montreront du doigt et projetteront leur noirceur sur nous. Mais avons-nous d'autres choix ? Voulons-nous demeurer dans le monde étouffant de notre histoire ou désirons-nous que nos dons authentiques aient une chance de se manifester dans toute leur splendeur ?

● ● ●

Pendant des années, j'ai eu peur de m'affirmer et de réclamer ma part du gâteau, de parler en public et de partager mes connaissances. Mon ego était si fragile que je craignais la désapprobation de mes pairs et le jugement de mes détracteurs. Mais un jour, en pleine méditation, j'ai demandé à Dieu de me donner le courage de vaincre mes propres peurs et de me permettre de jouer un rôle dans l'univers. Ce soir-là, dans mon lit, j'ai commencé à penser aux leaders spirituels qui avaient eu une très grande influence dans ma vie et qui avaient favorisé mon évolution. J'ai d'abord pensé à Martin Luther King Jr. J'ai pensé à tous ceux qui l'aimaient et l'honoraient et aux gens qui le détestaient. Que serait-il advenu si King avait gardé son secret ? Que serait-il advenu s'il n'avait pas partagé son don avec le monde ? Puis, j'ai pensé à Gandhi. Il avait, lui aussi, de nombreux admirateurs et détracteurs. Je me suis demandé à quoi ressemblerait notre monde si ces hommes n'avaient pas existé. Soudain, j'ai pris conscience que tous ceux qui s'étaient fait entendre et avaient eu une influence dans le monde avaient été à la fois aimés et détestés. Et même si je savais que je n'étais pas de la trempe de Martin Luther King ni de Gandhi, leur courage me montrait que si je voulais apporter une contribution au monde, je devais accepter d'être aimée et détestée. Je devais être capable de faire face tant à la critique qu'aux louanges.

Par après, j'ai réfléchi à ce paradoxe pendant des semaines. J'ai essayé énergiquement de m'exclure de la communauté des gens qui avaient consacré leur vie à aider et à guérir les autres. J'ai tenté de me convaincre que je n'étais pas ce genre de personne, que j'étais trop sensible et que je ne pourrais jamais vivre avec cette ambiguïté. Je voulais vraiment croire que le partage de mon don n'était pas mon véritable but.

Vous vous êtes probablement, vous aussi, raconté des histoires pour vous convaincre qu'il valait mieux garder votre secret au lieu de risquer d'être ridiculisé. Peut-être vous êtes-vous dit que vous ne pouviez accepter tout l'amour et toute l'admiration que vous alliez obtenir en donnant libre cours à votre magnificence. Mais c'est un mensonge, une autre histoire. Personne d'entre nous n'a vraiment peur de l'admiration et de l'amour qui arrivent lorsque nous laissons notre lumière briller. Même si notre splendeur peut nous rendre mal à l'aise et même si nous ne nous sentons pas dignes d'autant d'attention, au fond de nous, nous savons qu'il s'agit de notre expression authentique. Notre véritable crainte est la désapprobation et le jugement des autres, la peur d'être privés de leur amour.

L'ACCEPTATION DE NOTRE MAGNIFICENCE

Afin de nous sentir suffisamment en sécurité pour exposer nos dons, nous devons mettre fin au jugement envers nous-mêmes et les autres. Nous devons être capables de nous exposer à nu, hors de notre histoire, hors de notre passé, sans jugement ni justifications. Ce n'est qu'à ce moment que nous connaîtrons notre essence véritable et que nous sentirons la paix profonde que nous procure le fait d'être en harmonie avec notre moi le plus élevé. Nous pouvons alors nous détendre, laisser tomber les barrières et jouir de la gloire de notre propre magnificence.

Il est temps pour nous de grandir et d'accepter les personnes qui diffèrent de nous. Il est temps que nous comprenions que l'approbation des autres ne nous apportera pas la sécurité ni l'acceptation que nous désirons si ardemment. Seuls notre don unique, notre but divin, peuvent nous donner la profonde satisfaction de savoir que nous sommes complets, que nous sommes aimables et que nous sommes tout à fait bons et dignes. Tant que nous avons besoin de l'approbation des autres, nous devons nous diminuer et rester petits. Quand nous étions enfants, nous savions intuitivement que nous étions spéciaux. Puis, les choses se sont gâtées. Nous avons cru que les gens nous détesteraient si nous laissions libre cours à notre splendeur. Voici les vraies questions : pouvons-nous nous pardonner notre caractère spécial, nos dons et notre unicité ? Puis : pouvons-nous nous pardonner d'étouffer nos dons ?

Le monde a besoin de vous. L'avez-vous remarqué ? Avez-vous remarqué que votre aide serait utile ? Je m'adresse à la partie de vous qui désire apporter sa contribution au monde. Voici venu le temps de révéler votre secret, de mélanger vos ingrédients, de faire cuire votre recette et d'offrir le résultat. Voici votre chance de participer à la fête. Vous pouvez le faire l'an prochain ou dans dix ans, mais je crois que ce n'est pas un hasard que vous soyez en train de lire ce livre maintenant. Nous avons besoin de votre collaboration. Il vous faut abandonner vos excuses et participer au processus, contribuer au monde.

Quel secret votre histoire cache-t-elle ? Que vous êtes d'essence divine ? Que vous êtes magnifique ? Que vous êtes d'une dignité infinie ? Que vous êtes amour pur ? Que votre vie se déroule sans effort ? Quel est le secret que vous vous êtes caché à vous-même et aux autres pendant toutes ces années ?

C'est le temps de dévoiler votre secret. Il n'y a plus de danger maintenant. Peut-être y avait-il des risques auparavant, mais vous pouvez les affronter maintenant. Personne ne peut vous enlever votre secret. Personne ne peut vous faire du mal. C'est le temps de vous récompenser pour tout le travail que vous avez accompli. Vous seul pouvez vous accorder la permission d'honorer et de préserver ce secret. Placez votre main sur votre cœur et dites-vous qu'il n'y a plus de danger à exposer votre secret. Faites la promesse d'en prendre soin, de lui vouer la plus grande considération, de le respecter et de régler tout ce qui viendra nuire à ce don précieux que vous détenez. Imprégnez-vous pleinement de la sensation que vous procure votre secret après autant d'années d'oubli. Soyez tendre avec vous-même car vous exposez maintenant votre bien le plus précieux. Révéler son secret au monde, peut-être pour la première fois, constitue un moment sacré. Et ce moment a lieu maintenant.

Je veux que vous sachiez que maintenant je connais votre secret. Je sais qui vous êtes. Je sais quelle contribution vous offrez au monde. Même si je ne vous ai jamais rencontré, je sais que vous détenez un don précieux et je sais qu'il s'agit d'une pièce spéciale du puzzle divin de la vie — une pièce que vous seul pouvez fournir. Du plus profond de mon cœur, je vous invite à émerger de votre histoire, à révéler votre secret et à offrir votre précieux don au monde, maintenant.

ACTIONS REQUISES POUR LA GUÉRISON

1. Réservez une période de temps ininterrompue pour la visualisation proposée ici. Avant de commencer, détendez-vous en faisant une promenade ou en vous plongeant dans un bon bain chaud. Mettez de la musique douce ou allumez une chandelle pour créer une atmosphère paisible. Puis, fermez les yeux et laissez votre conscience reposer sur votre respiration. Inspirez lentement et profondément ; retenez votre souffle pendant cinq secondes, puis expirez doucement. Respirez ainsi jusqu'à ce que votre esprit se calme.

Revoyez une image de vous, enfant, et imaginez que vous êtes heureux, en sécurité et que vous n'avez aucun souci. Voyez-vous en train de vous exprimer librement, tout à fait à l'aise dans votre peau. Imprégnez-vous de cette image pendant quelque temps, puis posez-vous les questions suivantes. Écrivez vos réponses dans votre journal personnel.

Quand avez-vous dissimulé votre secret ?

Qu'avez-vous à craindre en laissant briller toute votre lumière ?

Que pouvez-vous apporter aux membres de votre famille, à vos compagnons de travail et aux autres personnes que vous côtoyez en affirmant votre magnificence ?

2. Composez une autre histoire racontant votre vie. Le thème de ce récit est que votre lumière brille très fort et que l'univers est en harmonie parfaite avec vous. Voyez à quel point votre essence divine vous donne du pouvoir et inspire les personnes qui vous entourent. À quoi ressemblerait votre vie, comment vous sentiriez-vous, si vous dévoiliez votre secret ?

Quel serait votre discours intérieur et quel message vous enverriez-vous ?

3. Inventez un énoncé puissant que vous pourrez vous répéter quotidiennement, qui vous soutiendra dans votre vie la plus magnifique.

4. Trouvez cinq pratiques quotidiennes qui peuvent vous aider à laisser briller votre lumière.

Contemplation

« Je jouis de la gloire de mon moi
le plus magnifique. »

Remerciements

À Liz Perle, ma chère amie et éditrice. Merci de croire en moi et en mon travail. La clarté de ta vision et l'intelligence de tes paroles m'inspirent continuellement.

À Arielle Ford, ma sœur, qui réalise mes rêves les plus fous. Tu es mon héroïne. Je t'aime et te voue un grand respect.

À Brian Hilliard et Dharma Dreams, mon impressionnant beau-frère et agent. Merci de t'occuper de moi et d'être une si merveilleuse personne.

À Danielle Dorman, ma très chère amie. Merci pour tes grandes aptitudes en édition. Ce livre a grandement profité de ton apport. Je t'aime et t'apprécie.

À Katherine Kellmeyer du Ford Group, qui est la meilleure publiciste qu'on puisse souhaiter. Merci pour toutes ces années de conseils, de soutien et de dévouement.

À ma mère, Sheila. Merci d'être la plus merveille des mères et des grands-mères, de nous aimer tous autant et de m'encourager dans la réalisation de mes rêves.

À mon frère, Mike Ford, qui s'intéresse tant à mon travail. Ta sagesse et ta générosité m'inspirent.

À mon fils, Beau, qui me rappelle constamment comme la vie est précieuse.

À tante Pearl, qui tous les jours m'inspire grâce à son enthousiasme et à l'amour qu'elle porte à notre famille. J'apprécie beaucoup le temps que nous passons ensemble.

À Greeta Singh et au Talent Exchange. Jamais je ne me suis sentie mieux soutenue que par toi. Merci d'être aussi impeccable.

À Cheryl Richardson pour ton cœur si généreux, ton amour, tes conseils et ton amitié.

À Oprah Winfrey pour le courage qu'elle a d'apporter une guérison spirituelle au monde. Merci pour les nombreuses occasions que tu m'as données de faire connaître mon travail.

À Katy Davis pour ton soutien, ton excellence et ta vison profonde.

À Jack Mori qui est un réalisateur extraordinaire qui a le courage d'aborder des sujets difficiles pour les rendre accessibles au monde.

À Cindy Goldberg et Stacy Strazis pour le merveilleux travail que vous avez accompli avec moi dans les émissions Oprah ! Votre grand cœur et l'amour que vous manifestez ont joué un rôle important dans la guérison qui a eu lieu. Merci.

À Sid Ayers qui m'a permis de me concentrer sur mon écriture et mon travail. Ta contribution est importante.

À Alisha Schwartz qui s'occupe de moi comme personne ne l'a jamais fait. Merci de m'apporter ton soutien et d'aimer Beau autant.

À Steve Hanselman, Margery Buchanan, Eric Brandt et tout le personnel de HarperCollins. C'est un plaisir de travailler avec vous. Chacun d'entre vous offre une contribution unique. Vous êtes des éditeurs formidables et je vous aime.

À Calla Devlin, mon publiciste chez HarperCollins. J'aime ta lumière et ton enthousiasme. C'est un vrai rêve de travailler avec toi.

À Lisa Zuniga qui a à cœur de faire de cet ouvrage un grand livre. C'est un honneur de travailler avec toi.

À Carl Walesa pour son superbe travail de révision. Merci.

À Stephen Samuels pour avoir le courage de diffuser cet ouvrage. Tu accomplis un travail grandiose et influence la vie de milliers de gens.

Aux chers participants à mes programmes d'encadrement. Je n'ai jamais rencontré de personnes aussi passionnées et extraordinaires. Chacun de vous apporte quelque chose dans ma vie et dans mon travail.

À Cliff Edwards qui apporte tant à de si nombreuses personnes. Merci pour ton solide engagement à guérir tes blessures et celles du monde.

À Justin Hilton. Je suis privilégiée de te compter parmi mes amis et comme partenaire spirituel tu es un homme extraordinaire.

À Patrick Dorman. Merci d'être sorti de ton histoire et d'avoir révélé la magnificence de ton être. Je suis très honorée de participer à ce voyage avec toi.

À Luba Bozanich. Ta volonté extraordinaire de transcender ta douleur m'inspire énormément. Merci d'être ce que tu es.

À Bea Bigman. Ta lumière et ton amour me font toujours sourire. Merci pour ce que tu as donné à la communauté de gens que j'aime tant.

À Neale Donald Walsch, Deepak Chopra et Marianne Williamson d'être de si bons amis et enseignants.

À Divina Infusino qui m'a aidée à m'organiser et à mener ce livre à terme. Ta passion m'a inspirée.

Au rabbin Moshe Levin qui a si généreusement partagé sa sagesse avec moi. Merci pour l'amour et le soutien que tu m'as offert ainsi qu'à ma famille.

À David Simon et tout le personnel du Chopra Center for Well Being. Merci pour votre amour, votre soutien et votre volonté de diffuser ce livre.

À Jeremiah Sullivan qui s'est toujours montré à la hauteur de la situation et qui a capté le meilleur de moi-même. À Robert Bennett qui est un merveilleux perfectionniste. J'aime ma photo.

À Natalie Snyder et Tony Fiorentino qui m'ont permis de me vautrer dans mon « histoire de cheveux » tout en continuant de m'apprécier. Vous êtes de brillants artistes.

À Henrietta Rosenberg. Merci d'être un aussi excellent maître de yoga et pour ton soutien constant.

Au restaurant Coffee Cup et à sa merveilleuse propriétaire, Marla Reif, qui nous a fourni de l'excellente nourriture et un coin confortable pour réviser les pages de ce livre.

Aux âmes sages et généreuses qui ont si ouvertement partagé leur vie afin que les autres puissent profiter de leur histoire. Merci pour votre immense contribution à ce livre.

À l'Esprit qui me parle, me guide, m'aime et me permet de faire ce que j'accomplis dans le monde. Merci de ton aide. Je suis honorée d'être à ton service.

Pour communiquer avec Debbie Ford et pour obtenir de l'information sur ses ateliers :

Debbie Ford
P.O. Box 8064
La Jolla, CA 92038
800-655-4016

HYPERLINK http://www.debbieford.com
www.debbieford.com